劉福春・李怡 主編

民國文學珍稀文獻集成

第一輯
新詩舊集影印叢編　第 9 冊

【郭沫若卷】

星空

上海：泰東圖書局 1923 年 10 月版

郭沫若　著

花木蘭文化出版社

國家圖書館出版品預行編目資料

星空／郭沫若 著 — 初版 — 新北市：花木蘭文化出版社，2016
〔民 105〕
210 面；19×26 公分
（民國文學珍稀文獻集成・第一輯・新詩舊集影印叢編　第 9 冊）
ISBN：978-986-404-622-5（套書精裝）
831.8　　　　　　　　　　　　　　　　　　　　　　105002931

ISBN-978-986-404-622-5

民國文學珍稀文獻集成・第一輯・新詩舊集影印叢編（1-50 冊）
第 9 冊

星空

著　　者　郭沫若
主　　編　劉福春、李怡
企　　劃　首都師範大學中國詩歌研究中心
　　　　　北京師範大學民國歷史文化與文學研究中心
　　　　　（臺灣）政治大學民國歷史文化與文學研究中心
總 編 輯　杜潔祥
副總編輯　楊嘉樂
編　　輯　許郁翎
出　　版　花木蘭文化出版社
社　　長　高小娟
聯絡地址　235 新北市中和區中安街七二號十三樓
　　　　　電話：02-2923-1455／傳眞：02-2923-1452
網　　址　http://www.huamulan.tw 信箱 hml810518@gmail.com
印　　刷　普羅文化出版廣告事業
初　　版　2016 年 4 月
定　　價　第一輯 1-50 冊（精裝）新台幣 120,000 元

星空

郭沫若　著

泰東圖書局（上海）一九二三年十月初版。原書三十二開。

星空

（第二創作集）

郭沫若著

1923.

NO.9

Zwei Dinge erfuellen das Gemuth mit immer neuer und zunehmender Bewunderung und Erfurcht, je oefter und anhalten-der sich die Nachdenkung damit beschaeftigt, der bestirnte Himmel ueber mir und das moralische Gesetz in mir.　　Kant.

有兩樣東西，我思索的囘數愈多，時間愈久，他們充溢我以愈見刻刻常新，刻刻常增的驚異與嚴肅之感，那便是我頭上的星空和心中的道德律.（康德）

獻　詩

啊，閃爍不定的星辰喲！
你們有的是鮮紅的血痕，
有的是淨朗的淚晶——
在你們那可憐的幽光之中
含蓄了多少沉深的苦悶；

我看見一隻帶了箭的雁鵝，
啊！牠是個受了傷的勇士，
牠偃臥在這莽莽的沙場之時
仰望着那閃閃的幽光，
也感受了無窮的安慰。

眼不可見的我的師喲！
我努力地效法了你的精神：
把我的眼淚，把我的赤心，
編成了一個易朽的珠環，
捧來在你脚下獻我惘忱。

　　十二月廿四日夜，
　　星影初現時作此。

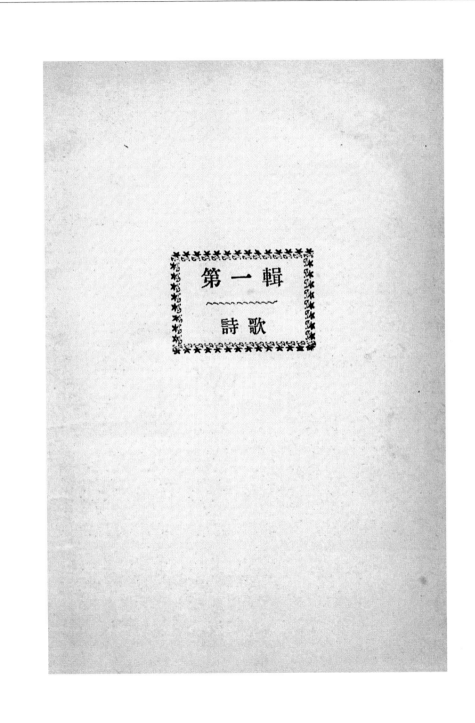

第一輯

詩 歌

星　　空

美哉！美哉！
天體於我，
不曾有今宵歡快！
美哉！美哉！
我今生有此一宵，
人生誠可讚愛！
永恆無際的合抱喲！
惠愛無涯的目語喲！
太空中只有閃爍的星和我

哦，你看喲！
你看那雙子正中，
五車正中
W形的 Cassiopeia

2

橫在天河裏。

天船積屍的 Persius

也橫在天河裏。

牛鈎的新月

含着幾分凄涼的情趣。

綽約的 Andromeda,

低低地乖在西方,

乘在那有翼之馬的

Pegasus 背上。

北斗星低在地平,

斗柄,好像可以用手斟飲。

斟飲呀,斟飲呀,斟飲呀,

我要飲盡那天河中流蕩着的酒漿,

拚一個長醉不醒!

花毯一般的 Orion 星!

我要去睡在那兒,

叫織女來伴枕,

叫少女來伴枕。

唉，可惜織女不見面呀，
少女也不見面呀。
目光炯炯的大犬，小犬，
監視在天河兩邊，
無怪那牧牛的河鼓，
他也不敢出現。

天上的星辰完全變了！
北斗星高移在空中，
北極星依然不動。
正西的那對含波的俊眼，
可便是雙子星座？
美哉！美哉！
永恆不易的天球
竟有如許變換！
美哉！美哉！
我醉後一枕黑酣，
天機却永恆在轉！

常動不息的大力喲，
我該得守星待旦。

我迎風向海上飛馳，
人額無聲，
古代的天才
從星光中顯現！
巴比崙的天才，
埃及的天才，
印度的天才，
中州的天才，
星光不滅，
你們的精神
永遠在人類之頭昭在！
淚珠一樣的流星墜了，
已往的中州的天才喲！
可是你們在空中落淚？
哀哭我們墮落了的子孫

5

哀哭我們墮落了的文化

哀哭我們滔滔青年

冀幾人能知

那是參商，那是井鬼？

悲哉！悲哉！

我也禁不住滔滔流淚……

哦，親惠的海風！

浮雲散了，

星光愈見明顯。

東方的獅子

已移到了天南，

光琳琅的少女喲，

我把你誤成了大犬。

蜿蜒的海蛇，

你橫亙在南東，

毒光熊熊的蝎與狼，

你們怕不怕 Apollo 的金箭？

6

哦 Orion 星何處去了？

我想起「綢繆」一詩來了。

那對從昏至旦地

歡會着的愛人喲！

三星在天時，

他們邂逅山中；

三星在隅時，

他們避人幽會；

三星在戶時，

他們猶然私語！

自由優美的古之人，

便是束草刈薪的村女山靈，

也知道在恆星的推移中

尋覓出無窮的詩料，

啊，那是多麼可愛喲！

可惜那青春的時代去了！

可惜那自由的時代去了！

唉，我仰望着星光禱告，

禱告那青春時代再來！

我仰望着星光禱告，

禱告那自由時代再來！

雞聲漸漸起了，

初昇的朝雲喲，

我向你再拜，再拜。

十一年二月四日晚

洪 水 時 代

I

我望著那月下的海波，

想到了上古時代的洪水，

想到了一個浪漫的奇觀，

使我的中心如醉。

那時節茫茫的大地之上

3

匯成了一片汪洋；

只剩下幾朵荒山

好像是海洲一樣。

那時節，魚在山腰遊戲，

樹在水中飄搖，

孑遺的人類

全都逃避在山椒。

II

我看見，塗山之上

徘徊著兩個女郎：

一個抱著初生的嬰兒，

一個扶著抱兒的來往，

她們頭上的散髮，

她們身上的白衣，

同在月下迷離，

同在風中飄舉。

抱兒的，對著皎皎的月輪，

歌唱出清越的高音；
月兒在分外揚輝，
四山都生起了囬應。

III

『等待行人兮不歸，
滔滔洪水兮幾時消退？
不見淨土兮已滿十年，
不見行人兮已滿周歲。
兒生在抱兮兒要號咷；
不見行人兮我心寂寥。
夜不能寐兮在此徘徊，
行人何處兮今宵？——
唉，消去罷，洪水呀！
歸來罷，我的愛人呀！
你若不肯早歸來，
我願成爲那水底的魚蝦！』

10

IV

遠遠有三人的英雄

乘在隻獨木舟上，

他們是椎髻，裸身，

在和激漲著潮流接仗。

伯益在舟前撐篙，

后稷在舟後搖艄，

夏禹手執斧斤，

立在舟之中腰。

他有時在斫伐林樹，

他有時在開鑿山岩。

他們在舊淘著原人的力威

想把地上的狂濤驅回大海！

V

伯益道：『好悲切的歌聲！

那怕是塗山上的夫人？』

后稷道：『我們搖船去罷，

去安慰她耿耿的愛心！』

夏禹，只把手中的斤斧暫停，

笑說道：『那只是虛無的幻影！

宇宙便是我的住家，

我還有甚麼個私有的家庭。

我手要胼到心，

腳要胼到頂，

我若不把洪水治平，

我怎奈天下的蒼生？』——

VI

哦，皎皎的月輪

早被稠雲遮了。

浪漫的幻景

在我眼前閉了。

我坐在岸上的舟中，

思慕著古代的英雄，

他那剛毅的精神

12

好像是近代的勞工。

你偉大的開拓者喲，

你永遠是人類的誇耀！

你未來的開拓者喲，

如今是第二次的洪水時代了！

（十年十二月八日作）

【附註】此詩出典見呂氏春秋，『夏季紀，音初篇』。

篇中有云：『禹行功，見塗山之女。禹未之遇

而巡省南土。塗山氏之女乃命其妾候禹於塗

山之陽，女乃作歌曰：「候人兮，猗」實始

作爲南音。

此外僞書『皋陶謨』篇（今文尚書）有『娶於塗山，

辛壬癸甲，啓呱呱而泣，予弗子，惟荒度土

功』數語。禹父治水九年不成，禹娶後三日而

出，迄啓呱呱墜地時當已一年，故上有『不見

塗土兮已滿十年』之語，非係杜撰也。

月下的「司芬克司」
——贈陶晶孫——

13

夜已半，
一輪美滿的明月
露在羣松之間。

木星照在當頭，
照着兩個「司芬克司」在走。
夜風中有一段語聲洩漏——

一個說：
好像在尼羅河畔
金字塔邊艤桓。

一個說：
月兒是冷淡無語，
照着我紅豆子的苗兒。

苦　味　之　盃

14

啊啊，苦味之盃喲，

人生是自見此地之光

不得不盡量傾飲。

呱呱墜地的新生兒的悲聲！

為甚要離開你溫暖的慈母之懷，

來在這空漠的，冷酷的世界？

啊啊，天光漸漸破曉了，

羣星消沉，

美麗的幻景滅了。

晨風在窗外呻吟，

我們日日朝朝新嘗着誕生的苦悶。

啊啊，

人為甚麼不得不生？

天為甚麼不得不明？

苦味之盃喲，

我為甚麼不得不盡量傾飲？

13.

靜　　夜

月光淡淡
籠罩着村外的松林。
白雲團團，
漏出了幾點疎星。

天河何處？
遠遠的海霧糢糊。
怕會有鮫人在岸，
對月流珠？

偶　　成

月在我頭上舒波，
海在我脚下喧豗，

16

我站在海上的危崖，
兒在我懷中睡了。

南　　風

南風自海上吹來，
松林中斜標出幾株烟霧。
三五白帕蒙頭的青衣女人
殷勤勤地在焚掃針骸。

好幅典雅的畫圖，
引誘着我的步兒延佇，
令我回想到人類的幼年，
那恬淡無為的泰古。

白　　雲

魚鱗斑斑的白雲，
波蕩在海青色的天裏
是首韻和音雅的，
燦爛的新詩。

聽喲，風在低吟，
海在揚聲唱和；
這麼冰感般的，
幽繚的音波。……

新　月

小小的嬰兒，
坐在簷前歡喜，
拍拍着兩兩的手兒，
又伸伸着向天空指指。

18

夕陽的返照，

還淡淡地暈着微紅，

原來是黃金的月鐮，

業已現在西空。

雨　　後

雨後的宇宙，

好像淚洗過的良心，

寂然幽靜。

海上泛着銀波，

天空還暈着烟雲，

松原的靑森！

平平的岸上，

漁舟一列地駢陳，

無人踪印。

有兩三燈火，
在遠遠的島上閃明——
初出的明星？

天上的市街

遠遠的街燈明了，
好像閃着無數的明星。
天上的明星現了，
好像點着無數的街燈。

我想那縹渺的空中，
定然有美麗的街市。
街市上陳列的一些物品，
定然是世上沒有的珍奇。

20

你看，那淺淺的天河，
定然是不甚寬廣。
我想那隔河的牛女，
定能夠騎着牛兒來往。

我想他們此刻，
定然在天街閒遊。
不信，請看那朵流星，
那怕是他們提着燈籠在走。

黃海中的哀歌

我本是一滴的清泉呀，
我的故鄉，
本在那峨眉山的山上。
山風吹我，
一種無名的誘力引我，

把我引下山來；
我便流落在大渡河裏，
　　流落在揚子江裏，
　　流過巫山，
　　流過武漢，
　　流通江南，
一路滔滔不盡的濁潮
把我冲盪到海裏來了。
　　浪又濁，
　　漩又深，
　　味又鹹，
　　臭又腥，
險惡的風波
沒有一刻的寧靜，
滔滔的濁浪
早已染透了我的深心。
我要幾時候
纔能恢復得我的清明喲？

22

仰　　望

污濁的上海市頭，
乾淨的存在
只有那青青的天海！

污濁了的我的靈魂！
你看那天海中的銀濤，
流逝得那麼愉快！

一隻白色的海鷗飛來了。
污濁了的我的靈魂！
你乘着牠的翅兒飛去罷！

江　灣　卽　景

蟬子的聲音！

23

一灣溪水，
滿面浮萍，
郊原的空氣——
這樣清新！

對岸的楊柳
搖…搖…

白頭鳥！
十年不見了！

柳陰下，
浮着一羣鴨子呀！

淞 堤 上

一道長堤
隔就了兩個世界。

24

堤內是中世紀的風光，
堤外是未來派的血海。
可怕的血海，
混沌的血海，
白骨翻瀾的血海，
鬼哭神號的血海，
慘黃的太陽照臨着在。
這是世界末日的光景，
大陸，陸沉了麼！

贈　　友

吳淞堤上的晚眺，
吳淞江畔的夜遊，
多情的明月與夕陽
把我們的影兒
寫在水裏，印在沙上。
沙與水上的影兒

是容易消滅的，
我心眼中的一個影兒
是永不消滅的。

火星從窗外窺人，
月兒在白楊樹外偷聽，
偷聽你那麼清婉的歌音，
星與月的影兒
有離去的時候，
我心耳中的一段歌
永沒有離去的時候

朋友！
我讀你的詩，
我是多麼榮幸喲！
你讀我的詩，
我又是多麼榮幸喲！
宇宙中好像只有我和你，

36

宇宙萬彙都有死，
我與你是永遠不死。

夜　　別

輪船停泊在風雨之中，
你我醉意醺濃，
在晻淡的黃浦灘頭浮動。
淒寂的呀，
我兩個飄蓬！

你我都是去得傯傯，
終個是免不了的別離，
我們輾轉相送。
淒寂的呀，
我兩個飄蓬！

海　　上

夕陽，

瞬刻萬變的霞光！

西方的那朵木星喲，

又巨，又朗！

那兒的下面

便是咋兒別了的

風吹雨打的故鄉。

故鄉！

你雖是雨打風吹，

我總覺心兒惆悵。

彷徨，彷徨，

欲圓未圓的月兒

已高高露在天上。

曠渺無際的光波！

曠渺無際的海洋！

大海平鋪，

大船直往。

28

我願我有限的生涯，
永在這無際之中徬徨！

燈　　台

那時明時滅的，
那是何處的燈台？
陸地已近在眼前了嗎？
轉令我中心不快。

啊，我怕見那黑沉沉的山影，
那好像童話中的巨人！
那是不可抵抗的，
陸地已近在眼前了！

拘 留 在 檢 疫 所 中

隔海的廛肆那樣輝煌！

29

夜中的海色那樣迷茫！

St. Helena 上的拿翁喲，

高加索司山下 Prometheus 喲，

你們的悲哀我知道了！

歸　　來

遊子歸來了，

在這風雨如晦之晨，

遊子歸來了。

雖說不是，不是故鄉，

也和我，和我的故鄉一樣。

我的愛人無恙，

愛子無恙，

一切的風光無恙；

只有兒們大了！

他們畏畏縮縮地，

怕是我也老了！

20

可喜的成長喲，

可懼的成長喲，

大海開張在我前面！

擁抱，擁抱，擁抱，

胸兒壓着胸，

臉兒親着臉⋯⋯

（九月二十日清晨）

好像是但丁來了

好像是但丁來了！

風在哀叫，

海在怒號，

周遭的宇宙──

地獄底的深牢！

『Francesca da Ramini 喲，

你的身旁，

便是地獄裏的天堂！

我不怕淨罪山的巇險

我不想上那地上樂園！』

(註)Francesca 乃 da Polenta 之女，父字之於
Gianciotto; 有勇而貌陋，其弟 Paolo 貌美，
與 Francesca 相歡愛，二人為 Gianciotto 所殺
。關參看「神曲」中「地獄篇」之第五章。

冬　　景

海水懷抱着死了的地球，

淚珠在那屍邊跳躍。

白衣女郎的雲們望空而逃，

幾隻飢鷹盤旋着來吊孝。

82

屍體中瀝出的一羣勇蛆，
高興着在作戰中的兒戲；
我不知道還是該唱軍歌？
我不知道還是該唱雍露？

夕　　暮

一羣白色的綿羊，
團團睡在天上，
四圍蒼老的荒山，
好像瘦獅一樣。

昂頭望着天
我替羊兒危險，
牧羊的人喲，
你爲甚麼不見？

暗　　夜

天上沒有日光，
街坊上的人家都在街乘涼。
我右手抱着一捆柴，
左手携着個三歲的兒子，
我向我空無人居的海屋走去。

——媽媽那兒去了呢？
——兒呀，出去幫人去了。
——媽媽幫人去了嗎？
——兒呀，出去幫人去了。

遠遠只聽着海水的哭聲
黑魆魆的松林中也有風在啜泣o]
兒子不住地咿咿啞啞地哀啼……
兒子抱在我手裏，
眼淚抱在我眼裏。

34

春　　潮

睡在岸舟中望着雲濤，
原始的漁人們搖着船兒去了。
陽光中波湧着的松林，
都在笑說着陽春已到！

我的靈魂啊！陽春已到！
你請學着那森森的林木高標！
自由地，剛毅地，穩慎地，
高標出，向那無窮的蒼昊！

新　　芽

新芽！嫩松的新芽！

比我拇指還大的新芽！

一尺以上的新芽！

你是今年春天的紀念呀！

生的躍進喲！春的沉醉喲！

哦，我！

我是個無機體麼？

大　　鶩

西比利亞的大鶩！

你大比肥鵝而瘦，

你囚在個龐大的鐵網籠中，

籠中有一隻家兔，兩匹馴鳩！

西比利亞的大鶩！

你喙如黃銅，瓜如鐵鈎，

你稜眼望着天空，

36

拍拍地鼓着翅兒怒吼。

西比利亞的大鷲！
你不搏家兔，不繫馴鳩，
你是聖雄主義的象徵喲，
哦，西比利亞的大鷲！

地　　震

地球復活了！
一切的存在都在動搖！
但是只有一瞬時
又歸沉靜了。——

搖動後的沉靜，
死滅一般的沉靜，
陽光在向着兒們微笑，

87

向着驚駭了的兒們微笑。

回想起我們幼年，
母親說是鰲魚晃眼；
地底果有鰲魚嗎？
我幼時的心眼中是曾看見。

如今鰲魚死了：
我知道牠在空中盤旋，
我知道是由地陷或是火山，
但是於我靈魂呀，有何益點？

兩　個　大　星

嬰兒的眼睛閉了，
青天上現出了兩個大星。
嬰兒的眼睛閉了，

88

海邊上坐着個年少的母親。

『兒呀，你還不忙睡罷，
你看那兩個大星，
黃的黃，青的青。』

嬰兒的眼睛閉了，
青天上現出了兩個大星。
嬰兒的眼睛閉了，
海邊上站着個年少的父親。

『愛呀，你莫用喚醒他罷，
嬰兒開了眼睛時，
星星會要消去。』

石　佛

海霧濛濛，
松林清淨，
小鳥兒的歌聲，
鷄在鳴。
松林頂上，
盤旋着一只飛鷹。

我沿着古寺徐行。
古寺內石佛一尊。
佛喲，痴人！
你出了家庭做甚？
贏得個石頭冰冷，
鎖着了你的靈魂。

第二輯

戲曲

孤 竹 君 之 二 子

幕 前 序 話

前舞台：青年作家之書齋。

青年作家偃臥地上展讀原稿。

同志一人從作家背面走入。

同志　（默立良久）啊，你眞專心，你在讀甚麼？

作家　（驚愕回顧）哦，C君！你幾時來的？（作
　　　欲起狀）

同志　（制止之）你不用起來！（說着盤坐作家旁）
　　　你讀的是原稿，是你自己做的嗎？

作家　（以稿授之）唉，我是纔做好。我正想拿來
　　　找你，你偏是先來的，你眞來得恰好呢。

同志　我正是來找你做戲本的呢。（閱稿）哦哦，
　　　『孤竹君之二子』，你這又是一篇古事劇
　　　了，是一幕嗎？

作家　唉。

42

同志　很長呢，一時讀不完，你請先把梗概說給
我聽罷。

作家　你這是苦人所難了。大凡一種作品，無論
牠是好是壞，假如只是聽得一個梗概時，
就好像不見女人只見一架骸骨一樣：那怕
她便是西施，便是 Cleopatra，也是只有使
你失望的了。你如不願讀時，倒不如不讀
的好。

同志　那有不讀的道理！……唔，你一說起骸骨
來，我倒連想起一句毒評來了。近來有人
說你是『迷戀骸骨』的，你聽見說過沒有？
我想來怕是因為你愛做古事劇的原故罷。

作家　我早就知道了，說我儘他說，我不能做萬
人喜悅的鄉愿！宇宙中一切的森羅萬象，
斡旋無已，轉相替禪；一切無形的能和有
形的質，從古以來，只有變形，沒有增減
。植物吸收動物的死骸以為營養，動物也
攝取植物的死骸以維持生存，大冶造器，

溶化許多古銅爛鐵而成新鐘。造物生人，只把陳死的原素來輾轉搏擬。天地間沒有絕對的新，也沒有絕對的舊。一切新舊今古等等文字，只是相對的，假定的，不能作為價值批判的標準。我要借古人的骸骨來，另行吹噓些生命進去，他們不能禁止我，他們也沒有那種攬力來禁止我。他們如說我做的古事劇不好，他們能夠指摘出我的不好處來，那還可以佩服！如說是我做了古事劇便不好，那譬如一隻盲犬在深夜裏狂吠，我只好替他可憐了。——

同志　老實，我要問你一句，我覺得做古事劇好像兩種傾向。一種是把自己去替古人說話，譬如沙士比的史劇之類。還有一種是借古人來說自己的話，譬如歌德的『浮士德』之類。我讀你從前做的一些古事劇，你好像是受了歌德的影響呢？

作家　也不盡然。便是歌德自身，他的『浮士德』

雖是如你所說，是一種自傳的史劇，但是
他的『依斐更尼』"Iphegenie"便不然了。我
自己的態度，對於古人的心理是想力求正
當的解釋；於我所解釋得的古人的心理中
，我能尋出深厚的同情的內部的一致時，
我受着一種不能止遏的動機，便造出一種
不能自已的表現。譬如我這篇獨幕劇，這
伯夷叔齊兩位古人，我們如是不善讀史記
的人，便容易把他們誤解。史記上說，武
王伐紂，伯夷叔齊扣馬而諫，說他『以臣
弒君』。像這句話，我只怕是太史公或者
太史公以前的人添的蛇足。我們的伯夷叔
齊，是視君位如弊屣的人，他們絕不會有
那樣保皇黨，復辟黨般的口吻。他們在首
陽山餓死的時候，唱的一首採薇歌：

『登彼西山兮，採其薇矣。

以暴易暴兮，莫知其非矣。

神農虞夏忽焉沒兮，我安適歸矣？

43

呼嗟徂兮，命之衰矣！』

我們讀他們這首歌，可以見得他們反對周
武王用兵，並不是出於愚忠；並不是在替
殷紂王作辯護；他們反對的是那種以暴易
暴的戰爭，那種不義的戰爭，那種家天下
的私產制度下的戰爭。他們反對家天下的
制度，他們所景仰的是『天下爲公，選賢
與能』的神農虞夏的時代。莊子的讓王篇
上有一段他們的逸話說得最好，他們說：
『昔者神農之有天下，……其於人也忠信
盡治而無求焉，樂與政爲政，樂與治爲治
……』。我們可見得神農時代的政長，只是
對於人民忠信盡治的公僕，羣衆樂與爲政
的時候爲政，樂與爲治的時候爲治；政治
是可有可無，政長也不過是隨遇而設的。
神農時代的史蹟，我們現在不能明暸，比
較明暸的是虞夏之際，那的確是一種哲人
政治的楷模。舜是由農民選出來的，禹是

46

罪人的兒子，他們都是以自己的賢能，衆推舉的共主。伯夷叔齊景仰這種時代，由此正是他們弊屍君位的根據，反對戰爭的根據。所以我們考察他們的言論，綜核他們的行為，他們的確是他們古代的非戰主義者，無治主義者。他們的精神和我們人是深相契合的。我把他們來做題材，也近代猶如把 Kropotkin, Bakunin 拿來做題材的一樣；在我的眼中，他們這樣古人總是永遠有生命的新人，而我們現代一些高視闊步空無所有的自命為新人的青年，總是枯槁待朽的骸骨呢！

同人 （猛起，右手握原稿連連打擊右手）啊啊，痛快！痛快！你替我們古人雪了不白之冤，也為我們今人吐了不平的氣。你這篇劇稿我現在不用讀了，我們快拿去上演罷。走！走！快到我們『自由戲場』裏去！非我們親自去演不可。

作家　（起身）我那劇中有幾首歌。應該要有樂
　　　譜纔能上演。

同志　（捉作家右臂邊走邊說）那是很容易的，
　　　我走着一面讀，一面和你製譜，我此刻只
　　　要坐上比牙琴立地和你譜得出來。走！走
　　　！我們現代即使沒有伯夷叔齊這樣的人，
　　　我們在舞台上也要演給他們看看。

　　　　　　　　　　　　　　（二人同下）

台上另換一白幕。正中橫書金色的『自由』
兩大字。
幕後比牙琴的獨奏，彈 Beethoven 的 "Moon-
light Sonata."

　　　　　　（開　　幕）

渤海北岸，海水平靜，直與天接，天上雲
峰怒湧。

23

　　海濱後段為沙岸，前段為草坪，坪中雜色草
花點綴。右翼臨海處岩石嶙峋，高低不等；稍前
垂柳一株。左翼一帶原始的森林。

　　初夏的正午時分，時陰時晴。

　　土人女子年二十四五，裝束如印度風，以黃
衣裹頭裹身，耳上垂大銅環，赤足，倚睡柳樹蔭
下，抱一嬰兒在懷中哺乳，口中低低唱歌：

　　　日頭高，柳絲長，
　　　柳絲牽兒入夢鄉，
　　　夢鄉便在娘身上。
　　　娘在望你爹爹呢，
　　　兒呀，兒呀，
　　　你在望他嗎？

　　　暖風吹，笑紋漲，
　　　漲在嬰兒臉兒上，

49

漲在海洋水面上。
海水貪着午睡了，
兒呀，兒呀，
你也睡睡罷！

女子邊唱歌，邊自言自語：『今天他怎囘來
得這麼遲呢？午飯時分了，他還不見囘來，怕他
到上灣去了。……等人眞是難等呀！』
連掩口作幾次呵欠，母子在柳樹下睡去。
有頃，漁父一人年紀三十上下，裸身赤足，
皮色如赤銅，腰部以茶色布片遮裹，頭髮蓬茸，
鬍鬚滿頰，左耳上亦貫一大銅環。右肩搭魚網，
左手提魚籃，自林中走出。
漁父　（自語）世道不好，連海裏的魚都去逃難
　　　去了。打了半天的魚，總打了兩匹大魚秧
　　　子……（瞥見柳樹下母子兩人）哦，他們早
　　　在那兒等我了，他們是睡熟了的嗎？……
　　　哈哈，眞好穩熟的安睡！青草面着這麼柔

50

軟的寢床，楊柳張着那麼輕輕的羅帳，聽着海水的睡歌，蓋着溫暖的陽光，他們真是安穩，穩睡得如像死人一樣！……好，我不用驚醒他們，等我探些野花來替他們作葬禮罷。（置魚網魚籃於草坪上）他們能得這麼死去，他們真是幸福：免得惡魔來吃他們的心，免得惡魔來吃他們的肉。（弓背在草原中探花，時時抬頭看母子兩人）啊，他們真是睡得安穩！……花已探了這麼一大把了，等我拿去散在他們身上罷！

　　青天呀！你在頭上照臨，

　　太陽呀，你請傾耳靜聽！

　　這兒安睡着兩個無垢的愛人，

　　我探摘花兒來要把他們埋瘞。

　　　　　　（散花母子身上）

女子　（醒）哦，爸爸，你回來了。噯喲，你又在做甚麼玩意兒喲？

漁父　（狂笑）哈哈，我以為你們是死了，我在
　　　　替你們散花作葬禮呢。

女子　（抱嬰兒起）你總愛這麼作玩笑呀。你還
　　　　在，我們那便會死呢？

漁父　兒醒了嗎？哦，睜起一雙大大的眼睛！
　　　　（抱過嬰兒來連連接吻）

女子　我等了你多一陣了，你到甚麼地方去了來
　　　　呢？

漁父　今天運氣不好，我在這里打了一陣魚連一
　　　　匹魚秧子也沒打得，我便到上灣去了來。
　　　　你們怕在等我回去吃午飯了罷？呵，今天
　　　　又會吃不飽飯了，打了半天只打了兩匹小
　　　　魚兒，我們回去的時候，你還得送一匹到
　　　　柳孤兒家裏去總好。

女子　（攀折楊柳兩枝紐成小環，拾取地上落花
　　　　穿綴環上）柳孤兒的父親，算起來快要滿
　　　　兩週年了呢。

漁父　可不是嗎？他不該要到那都會地方去。他

62

　　　到了朝歌，依然還是打魚；他有天早晨在
　　　結了冰的河裏打魚，被殷王受辛看見了，
　　　怪他不怕冷，說他骨髓裏一定有甚麼與衆
　　　不同的地方，便把他捉去，把腳脛斫了。
　　　唉，可憐他就是那麼死了。他眞是睜起眼
　　　睛到都會地方去尋死的呢。

女子　　（編花環成，戴在嬰兒頭上）我把這頂花
　　　圈戴在我們嬰兒頭上，祝他長大了不要學
　　　那柳孤兒的父親一樣。

漁父　　等到他長大了，我們也還能長在這平安的
　　　鄉野中生活，那是再好沒有的了。我們這
　　　種生活，可惜同這柳枝草花一樣是容易敗
　　　壞的。我們縱使永不離去故鄉，總不免有
　　　秋風吹來凋敗我們。如今，我們已隱隱感
　　　受着一種脅威了。第一，我們是不得不死
　　　的；並且還有比死還利害的災難要來脅迫
　　　我們——

女子　　有甚麼災難呢？

54

漁父 未來的事情我本不想使你擔心，就𣎴擔心也是無盆。我現在和你談些外界的新聞罷，我早就想對你說，但是我又怕你擔心。你須知擔心也是無盆的，你請不要空擔心。你還不曾知道，近來的殷王受辛更是暴虐得沒有邊際了。我聽說他近來喜歡吃起人肉來。他愛把嬰兒的肉來蒸來吃，愛把人的心臟來燒來吃。他把朝歌裏的小孩子們快要吃乾淨了，他便把些懷了胎的女人的肚腹來剖開，把胎兒取來蒸來吃。他把他叔父的心臟也剖來燒來吃了。

女子 呵，天地間有這樣的人嗎？

漁父 這樣的人正是多着呢。聽說他的部下那些有爵位的人，那些有爪牙的人，都是和他一樣吃人的厲鬼。他們把都會的人吃淨了，不消說要吃到我們鄉野來。如今鄉野的人見機的都預先逃走了。他們都是逃往歧山下面的周國去的。聽說那兒有位君主愛

53

我們百姓就如像我們愛我們的兒子一樣……
……啦，你看，你看我們這個兒子，他是多
麼可愛！假如有人要來挖他的心，我是要
和他拚命！

女子　我要叫他先來把我的心子挖去！

漁父　等得他們來挖去你的心，那是我早已不在
這世間上了。——他們雖是逃走，但是我
是不想逃走的。我不相信如今有爵位的人
真會愛我們如像我們愛我們的兒子。我想
那些都是假的。他們不過是披着人皮的鱷
魚，他們不過想利用我們的生命去固全他
們的爵位罷了。即使他們能夠替我們把那
些吃人的魔鬼除去了，也不過另外又換一
批鱷魚來，我們依然還是他們的食物。我
和我們部落裏的人前幾天約過了，我們是
絕對不逃走，不去依賴鱷魚；我們在部落
裏大家相輔相衞，等待有吃人的魔鬼來，
我們便和他決一死戰。……

女子　（呈驚愕狀向右方指示）爸爸，哦，你看！你看！那兒來的是甚麼？

漁父　唔，唔，那像是位……。你看他的裝束，那的確是……唔，唔，說不定怕便是吃人的厲鬼來了。……你去，你快去，你抱嬰兒快往林子裏去躲避，我隨後便來。（授兒與其妻）

女子　（抱兒飛跑入林中，回呼）爸爸，你也快來，不用和他爭鬥罷！

漁父　（點頭，收拾籃魚網，向右方探望一回，旋即躲入林中）

伯夷年三十上下，裝如朝鮮上流人風度，戴笠著屐，徐徐自右翼走出。佇立四顧，呈欣悅態。俄而脫笠露鬂，引臂作鳥伸勢，放歌。——太陽光線，分外晴明。

呵呵，寥寂莊嚴的靈境，

56

這般地雄渾，坦盪，清明！
地上是百花燦爛的郊原，
眼前是原始的林木蕭森；

無邊的大海瓓爛在太陽光中，
五色的慶雲在那波間浮動：
哦哦，天際簇湧着的雲峯嘲，
那是自由的歡歌，簫韶的九弄！

我塵寰中三十年的囚儒，
我於今纔得解放了五官的閉塞，
我俯仰在天地之間呼吸乾元，
造化的精神在我胸中澎湃！

三十年來的新我方慶誕生，
三十年前的生涯真如一夢！
啊啊，我回顧那墮落了的人寰，
我還禁不着憤怒重重，痛定思痛。

那兒是刑政囚製的鐵獄銅籠，

那兒有險狠，陰賊，貪婪，湧聚如蜂。

毒蛇猛獸之羣在人上爭博雌雄，

奴顏婢膝者流在膿血之間爭寵。

啊啊，原人的純潔，原人的真誠，

是幾時便那樣地消磨罄盡？

我如今離開了那罪和不幸之門，

我可在這高天大地之中瞑目而殂。

啊啊，我自從離去了孤竹，計算起來，晝夜
已交替了十次了。我隨着遼河南下，我終竟到了
這寥無人跡的境地上來，我逃人如像逃影一般，
我終竟到了這寥無人跡的境地來了！我幼時所景
慕，所渴念，所縈夢的大海，如今浮泛着五色的
慶雲在我眼前燦爛，我好像置身在唐虞時代以前
；在那時代的自由純潔的原人，都好像從岩邊天

53

際笑迎而來和我對語；啊，我此刻真是榮幸呀！

我的周遭沒一樣不是新奇的現象：我頭上穹窿着的苍天，我脚下凝凝着的大地，我眼前生動着的自然，我心中磅礴着的大我！啊，我污池中的白蓮，如今纔移根在玉液裏來了！

我回想唐虞以前的人類，那是何等自由，純潔，高遠喲？他們是沒有物我的區分，沒有國族的界別，沒有刑政困戮的束累，他們與其受人爵祿，甯肯負石投河，犧牲一己的生命而死。如今呢？啊，如今的人類是不惜犧牲人的生命以求尊寵了！墮落了的人類喲！不可挽救的人類喲！可那不是同受高天厚地的載幬，同受浩氣的噓息，同受原人血液的流灌？那怎墮落成私慾的集團，如牛馬屎的囤積一樣去了？歸究起來，還是要怪那萬惡不救的夏啓！一切的罪惡和不幸的根芽，都是從他那家天下的制度種下，是他把人類濁化了呀！（揚歌而放歌）

啊啊：你萬惡不救的夏啓呀！

我們古人本是沒有國家，本是沒有君長，
偶爾應時勢的要求，
總由多數人民選出個賢者在上。
伏羲之後不知歷多少年代總有神農，
神農之後又不知歷多少年代總有黃帝，
他們何嘗是酒池肉林瓊台玉食的專擅魔王
？
他們不過是我們古人的看牛的牧夫，
耕地的傭人，縫衣製車的工匠。
唐虞時代洪水橫流，
便是治水有功的你的父親，
也不過是我們古人選出的治水的工頭。
不幸他總生了你，
你不肖的兒子喲，你萬惡不赦的夏啓！

你敢在公有的天下中創下家天下的制度。
你擅自捏造個的人形的上帝頂在頭顱。
你說天下是上帝傳給你的父親，

69

是你夏家的私有財產。

該你傳子傳孫，該你分封功臣，

由你把整潔的寰中縱橫宰砍。

你說你是萬民的父母，你是上帝的代身，

該你作福作威，壽夭人的生命。

到如今你的血食何存？

你徒使後人效尤，

製出了許多禮敎，許多條文，

種下就無窮無際的罪和不幸。

啊，你私產制度的遺恩！

你偶像創造的遺恩！

比那洪水的毒威還要劇甚！

慘毒的洪水怎不曾把個呱呱墜地的嬰兒，

你生在塗山未曾毒禍人類的嬰兒，

從人類的命運之中解救了去？

啊，滔滔不盡的夏啓的追隨者喲！

人類的禍災是萬刼不能解救！

61

我在這高天厚地之中發誓宣明：

我只能離羣索居，獨善吾身！

你們窘困在刑政積威之下的人們喲，

囚籠中的小鳥還想飛返山林，

縶池中的魚鱗還想逃回大海。

你們如不甘那樣的奴隸生涯

你們還請在這「獨善的大道」上大胆徘徊！

你們蹲踢在牢獄之中還嫌身太自由，

你們頂戴着暴君還要供獻羔羊春酒，

你們男耕女織替他衣食爪牙，

你們獻稅納租向着蝗蟲求報，

你們養虎自斃，作繭自纏，

你們步着死路的屠羊，爲甚帖耳不返？

可憐無告的人類喲！

他們教你柔順，教你忠誠，

教你尊崇名分，教你犧牲，

教你如此便是禮數，如此便是文明；

62

我教你們快把那虛偽的人皮剝盡！

你們回到這自然中來，

過度純粹赤裸的野獸生涯，

比在囚牢之中做人還勝！

宇宙中有不盡的資源，

我們各盡所能足以滋乳生生；

我們各有理性天良足以扶柔濟困；

我們何有於君長刑政？何有於禮教文明？

可憐無告的人們喲！快醒！醒！

我在這自然之中，在這獨善的大道之中，

高唱着人性的凱旋之歌，表示歡迎！

（浩歌獨白中，初猶沉毅，繼則漸激漸烈，
揮笠振衣，在岸上手舞足蹈，狀如發狂。漁父夫
婦在林中時隱時現，男者間或出頭窺聽，俄復隱
去。至此始大胆走出，兩人趨伯夷前伏地施禮）

漁父　　哦，人類的教化者！我們的上帝！你恕我
　　　　們瀆褻了你！我們剛纔把你當成那吃人的

63

魔鬼，你惹我們瀆褻了你！請你眷顧我們
！你的啟示，我們句句都聽得很明白了。

——

伯夷　（和婉）我說的話，你們聽見了嗎？

女子　上帝！你的啟示，我們句句都聽明白了。

伯夷　（扶二人起）你們起來，起來。我並不是
　　　甚麼上帝，我同你們一樣只是一個生人。
　　　假使是有上帝，我們只要能夠循着自己的
　　　本性生活，不為一切人為的桎梏的奴隸的
　　　時候，那便甚麼人都是上帝了。我們的本
　　　性，原來是純真無染的。你看你們這個嬰
　　　兒，他何曾帶着點人類的一切罪惡的烙印
　　　呢？他只有完全整塊的一個渾圓的自我！
　　　（撫摩幼兒頭顂）啊啊，你們這個小上帝
　　　快滿一歲了麼？

女子　已經十一個月了。

伯夷　我祝他永遠是個孩子，我平生最脈惡俗人
　　　，我只愛無知的嬰孩，無知的草木，我還

64

單愛我一個兄弟；因為他便是一個永遠的孩子。可憐我忍心，我忍心把他丟在牢籠裏了。——

漁父　啊：你真的是個生人嗎？

伯夷　你看我和你有甚麼區別呢？我不瞞你們，我自己本是孤竹國的王子。我的父親不久總死了，我得了這個機會，我總逃了出來。我一逃了出來，我倒自由了，可憐我的兄弟他便不得不受君位的束縛。但是我的兄弟他是很聰明的人。聰明人是只想支配自己不想支配他人的。我想他定也會和我一樣，尋個機會逃走，不曉得他現在可已經得到逃走的機會沒有呢？

漁父　啊，你這位難得的王子！如今的人誰個不想支配人？誰個不想爭權奪祿？偏你把應當享受的君位也同丟個臭魚一樣丟棄了。你真難得呢！

伯夷　沒有甚麼難得，不過如你所說，丟了個臭

65

魚罷了。我想這後世的政長爵祿，都是除
害人而外一無所能的害蟲，在人頭上製出
來的贅瘤浮腫。我們人類受了害蟲的毒禍
，太深太久了：人人都把那贅瘤浮腫看得
同眼耳口鼻一般，好像是缺了便不成爲人
形的一樣，我們得喚醒人們，把那些無益
而有害的存在消除盡淨。

漁父　　要得一切在上位的人都和你一樣，把自己
　　　　的爵祿棄了，眞眞做個自食其力的平民，
　　　　那可就好了。

女子　　爸爸，那怕是望石頭開花馬生角呢！他們
　　　　不是還要來吃我們的心，吃我們的肉嗎？

漁父　　那怕他們不來！他們來我總先叫他們的心
　　　　和肉讓給海裏的魚吃！

　　　　（此時右翼起哄鬧之聲：『不要把他放走了』
　　『朋友們！朋友們！快趕上去！快趕上去！』『他
　　分明說他是王子呢，快追趕上去！快追趕上去』
　　……多人脚步雜亂聲。）

66

伯夷　（驚愕）哈哈，他們追趕我來了嗎？我總好像一個罪人一樣，逃一個君位也逃不脫！我……

叔齊　（年紀二十六七光景，裝束與伯夷相似，愴惶自右翼跑出，瞥見伯夷，突前捉臂牽曳）哦哦！哥哥，你總在這兒！他們追趕來了，快走！快走！

伯夷　（拒絕）叔齊呀，我料不出你總會牽領人們來追趕我呢。我旣不願意，並且又是父親死時的遺囑，你爲甚麼要牽領着他們來追趕我？你是空費心血了。

叔齊　（搖頭強曳）哥哥，不是，不是，我也不願意呢。他們追趕得愈緊了，快走！快走！
（追呼之聲愈近）

伯夷　你要叫我往那兒走？你想叫我囘孤竹去嗎？你究竟還是不知道我！

叔齊　（如前）不是呀，哥哥，你總之跟着我走

67

罷！我也是不願意呢。

伯夷　你縱也不願意，如今想做政長的人，遍地皆是，你爲甚麼不叫他們任意選擇一個？爲甚麼要率領他們來追趕我？啊啊，我始終把你誤解了。我纔歡喜得出了牢籠，你們真如追捕逃犯一樣又要來促我去投入羅網嗎？我在人間世中只係念着你，如今我一點係念也沒有了。（脫身馳向海邊欲投海，叔齊及漁人夫婦趨前挽勒之）

叔齊　啊啊，哥哥，你誤會了我，你誤會了我，我不是來追你的。我……

　　　（野人一羣手中各持銅石器，自右翼跑出）
　　　啊，他們已經追趕到了！哥哥，……

野人甲　好了，他在這兒了，哈哈，還是兩個！
野人乙　我們的凌漁父夫婦也在這兒。

　　　（羣人蜂湧圍集）

漁父　你們怎這麼大驚小怪的？你們爲的是甚麼

63

　　　事情？

野人甲　（指叔齊）我們追趕這位自稱王子的惡
　　　　魔！他是吃人的殷王受辛的兒子，他膽敢
　　　　到我們部落裡來了。

野人丙　他到柳孤兒家裏去討茶水，柳孤兒的母
　　　　親問他是甚麼人，他起初還支吾，後來他
　　　　說他自己是外遊的王子。柳孤兒的母親問
　　　　他要往甚麼地方去，他說要往朝歌。柳孤
　　　　兒的母親總忽然想起他是殺她丈夫的仇人
　　　　的兒子，她便來報告我們，我們大家來捉
　　　　他，他見不是勢頭，便乘機逃跑了來。

伯夷　　哈哈，你們誤會了，我也誤會了。這是我
　　　　的兄弟……

野人丁　哦，你也是殷王受辛的兒子嗎？

野人乙　好，我們一並結果了他。

漁父　　（制止衆人）你們不得狂躁！你們聽這位
　　　　孤竹國的王子說話！

叔夷　　我聽了這幾位朋友的話，我總恍然大悟了

。叔齊！你處處遭了誤解，我也把你誤解了呢。凌漁父！我聽他們叫你是凌漁父，我也便叫你凌漁父罷——凌漁父！我剛纔對你說過我有一個兄弟，這便是我的兄弟叔齊了。我的名字叫伯夷。——朋友們，你們誤解了。我們不是殷王的兒子，我們是那遼河上流的孤竹國的人。不錯，我們也是兩個王子，但是我們不是那吃人肉的魔羣；我們也是和你們一樣，恨那吃人肉的魔羣，所以纔逃走了出來。——叔齊，我不想你便也早早得手逃出來了呢。——

叔齊　哥哥，自從父親死的那晚上你的踪跡不見了，國內的人騷亂得甚麼似的。他們有人說你是孝子，怕因爲傷心的綠故，跳在遼河裏而死了，他們第二晨早便在遼河一帶淘河，想淘得你的屍首。只有我自己是曉得的，我曉得哥哥絕對不是那種恐益的孝子。哥哥時常向我說許由務光泰伯仲雍的一

70

些古今的賢人，我曉得哥哥一定是不想做
國君悄悄地逃走了。哥哥，你是我的太陽
，我失了太陽怎麼能夠活得下去呢？所以
他們在逃你屍首的時候，我乘着機會便也
逃走了來。我出國的時候，不知哥哥的去
向，但是我們對於西方的景仰，好像是我
們先天的遺傳。我們的祖先是從西方來的
。我們常常所夢想的無君長刑政的華胥國
，也是在遠遠的西方。西方的天宇對於我
們是何等的一種愛誘喲！西王母所在的西
方，華胥國所在的西方，夢幻中的金色的
西方，啊，那是我們未生以前的鄉土，我
是想到那無政長無刑戮的樂土裏去！我想
我的哥一定也是向着西方去的，所以我隨
着遼河走到海上來，我正想折向西方去，
我不料在這兒竟遇着這幾層意外的驚喜。
我真感謝這些追趕我的朋友們，他們使我
得早早和我哥哥相遇。我死在我哥哥的眼

71

前，我就好像小貓兒熱睡在太陽光裏一樣
，我是可以心安意適的了。

漁父　難得你們這兩位賢德的王子！

野人甲　嚇，我們真冒失了。

野人乙　我們請這兩位王子到我們部落裏去過活
罷。我們要多搗些海漁來款待他們。

凌妻　柳孤兒和他的媽媽也趕來了呢！

　　　（柳孤兒十歲光景的孩子，柳媽四十上下
　　　的婦人，從右翼傯傯出。舞台變成綠光，
　　　表示太陽陰去）

野人丙丁　柳媽媽，你錯認了人呢！他不是殷王
受辛的兒子，他是孤竹國的王子呢。

柳媽　怎麼？他不是說的出外來遊歷，現刻要往
西方，要往朝歌去的嗎？如今不是殷王的
親人，只有從朝歌出來的人，沒有人會往
朝歌去的。他怎麼不會是殷王的兒子呢？
你們不要受了他的欺騙。

72

叔齊　啊，這是我說話失了檢點，我不知道有這
　　　樣的委曲。

伯夷　你怎麼說你要到朝歌去呢？

叔齊　哥哥，我的心事只有你一人知道。我原是
　　　順路想往岐山訪個友人。說不定更要向朝
　　　歌去一次。

伯夷　你這意思連我也不知道了。你在岐山有甚
　　　麼個友人？

叔齊　哥哥，你忘記了麼？十幾年前周君姬昌被
　　　殷王受辛幽囚在羑里的時候他的臣下不是
　　　有一個人到了我們孤竹國來徵求過寶物嗎
　　　？他要徵求些寶物去獻給殷王，贖回他們
　　　的君主。

伯夷　哈哈，閎夭嗎？是，是，我記起來了。那
　　　要算是十四年前的故事了。那時候你總十
　　　三歲啦，閎夭到我們國裏來，我們國裏沒
　　　有寶物給他。他看見我們父親的侍女纔滿
　　　十五歲的孟姜——啊啊，可憐的孟姜！她

便在那年離開了我們了——閎夭向我們父親要她，要把她帶去獻給殷王。可憐我們那頑梗的父親，會拿人的生命來做禮物的父親，他竟答應了他。可憐孟姜離開我們走的時候，她不知道流了多少眼淚。那時候你也不知道流了多少眼淚啦，你喜歡孟姜，孟姜也喜歡你。孟姜走了之後，你還時常向我哭。後來你不哭了，我以為你是忘了。你現在說要去訪閎夭，你是要去問孟姜的下落的了。被沙土埋積了的蔥芽在沙土中依然不斷地生長。你這十四年前的愛苗，此刻纔漸漸伸出土來了啦。

叔齊　哥哥，你別要嘲笑我。哥哥是我的太陽，孟姜是我的月亮。我自從離開了孟姜，哥哥，你是曉得的，我夜夜過的都是暗黑無光的雨夜呢。

柳媽　你們說起孟姜來，我的仇人便也是你們的仇人了。說起孟姜，這是朝歌城裏人甚麽

74

人都是曉得的。

叔齊　啊，媽媽，你知道孟姜的事情嗎？千萬央求你，請你告訴我們。

柳媽　孟姜纔到朝歌的時候，聽說是周國的人獻來的美女。每年獻進朝歌城的美女，不知道有多少人，但是沒有一人能如孟姜一樣，人人都稱讚她，人人都替她流淚。他們稱讚她，說她的面麗就好像木槿花的顏色，說她的聲音就好像玉磬的聲音，說她的身段就好像翩飛着的燕子。他們說她獻進宮裏去的時候，那淫虐的殷王受辛眞是十分寵愛她，比愛蘇妲己還要愛。但是孟姜他總是哭，她總不受殷王的愛撫。殷王千方百計想安慰她的心，給她做玉石的別宮，象牙的寢床，珊瑚樹的妝台，赤金的照面，但是她總不受他愛撫。倒是蘇妲己生了嫉妬了。說是有一天晚上，月亮很好的晚上，蘇妲己把孟姜邀誘到花園裏去。孟

75

姜一走到花園裏，月亮見了她便分外放出了一段光耀；池塘中睡了的蓮花又開起花來，放出異樣的清香。花園中睡了的鳥兒也唱起歌來，唱得非常清婉。因此蘇妲己愈見嫉妬她，誘她倒一眼古井旁邊去。井邊立着一株梧桐，梧桐葉裏也發一段幽颺的琴音。妲己便對她說：「孟姜，我想你定是齊國的人；你的心事一定是想回你的故鄉。這眼古井是與東海的海水相通的，你假如肯跳了下去，……」孟姜不等她的話說完，便如像一個燕子一樣，飛下井裏去了，——

叔齊　嚜？我的孟姜她飛下井裏去了！

柳媽　她飛下井裏去，月亮也收了光了，蓮花也閉了，羣鳥的歌聲也息了，梧桐的琴音也斷了，只有蘇妲己在黑暗中癡笑。後來人便不知道孟姜的下落了。

叔齊　（在岸上徘徊揚聲悲歌）

76

月兒收了光，

蓮花凋謝了，

凋謝在污濁的池中。

燕子息了歌，

琴兒絃斷了，

絃斷了枯井上的梧桐。

我是那枯井上的梧桐，

我這一張斷絃琴

彈得出一聲的哀弄：

丁東，琤琮，玲瓏，

一聲聲是夢，

一聲聲是空空。

（同歌往復歌唱，邊唱邊在岸上盤旋。餘
人佇立岸上，俯首無語）

伯夷　　（沉抑）叔齊！我們不能長在這兒纏綿，

你還是想到甚麼地方去呢？

叔齊　（止步）唉？我不，不想到甚麼地方去了。

伯夷　啊啊，我們不幸生爲了王子！一出了宮庭連自食其力的力能也沒有。我剛纔的一片狂歡，被你這無邊的愛情也化爲止水了。我聽說首陽山上，薇草甚多；我們往那兒去，去仰自然的恩惠去罷。叔齊，你肯和我往那兒去麽？

叔齊　（頷首）…………

伯夷　（向衆人）凌漁父和列位的兄弟媽媽們，我們便從此去了，我們祝你們在此樂享獨立無擾的自由原始的生活。

（向衆人揖別後，攜叔齊手向林中隱去。）

（凌妻置嬰兒草地上，隨衆人步往枕邊歡送。）

（柳孤兒在一旁逗嬰兒發笑。）

（林中叔齊歌聲復起，漸漸隱微，漸漸消逝。）

78

漁父　（佇立良久，搖首嘆息）啊，不可思議！
不可思議！

―― 幕 ――

十一年十一月二十三日脫稿

月　光

―― 此稿獻於陳侯侯先生之靈 ――

人……博士先生(三十八歲)

其夫人(三十歲)

看護女子一人(二十歲)

樓房，博士之書齋。

正面壁上掛短字屏四幅，左右對聯一付。左隅有
戶通內室，垂白色布簾。右隅靠右壁，書櫥一，
中置中外書籍。字屏下長書案一，左右籐製靠椅
各一，左靠後壁，右靠書櫥。案上筆硯諸事，靠
壁一端，稿件書籍堆積。前端罡茶具菜瓶諸件。
左壁上部為玻璃窗，下部聯列一排椅椅。窗外樹
木之顏可見。

右壁與書櫥相接處，置沙發一。壁上世界地圖一幅。

博士一人，着夏布長衫，瞑目仰臥沙發上，兩手叉在胸前，面色黃槁，帶暗黑色，瘦削。鼻下有微鬚，隣室時鐘，連敲十二下。

博士張目起坐，目灼灼作奇光。

——啊啊，已經十二下鐘了嗎？我又算白白過混了一天！我一天不提筆，不做文，我比死還要痛苦！我當做的事業還多得很呢！(輟忽有間)

——「孤燈」的交稿期看看又遲延了三天了。在這茫茫的暗夜裏，我可憐海上行船的人們，我要點起這盞「孤」燈來照耀，照着他們一直等到太陽出現；總有一刻太陽是會要出現的，我不相信你們在黑夜中作孽的妖魔，會能長久得勢！……啊啊，可恨我偏偏又病了！何物病魔，你敢來苦我呢！你！你微小的細菌們；我清明在躬，我一生做事不曾問心有咎，難道你們真能苦我嗎？哼，我不相信！我不相信！我要孤軍奮鬥。我不能

80

降服於你們，不能降伏於你們的盲動之下！

（奮然而起，蹌踉走至棹前，伸手欲向筆筒中抽筆時，幾乎倒地，兩手急扶書案，澀然有聲。）

夫人著白色西裝庭衣，自內室蹇籧而出，急趨博士之側，扶持之。

——啊，你怎麼了？你跌倒了嗎？

—— 冥有，冥有，甚麼也沒有。哦，你還沒有睡嗎？

——（扶博士坐沙發上，侍立其側。）我睡是睡了，但是總不能睡熟——

—— 已經十二點鐘了呢。

—— 我聽見你說了幾句話，沒聽清楚，我怕你在說夢話；隨後我聽得怦地一聲，我縱曉得你起來了。哦，你怕又是起來做「孤燈」的稿子了，你這樣把你自己的身子全然不放在眼裏，你的病怎能容易——

—— 啊沒有那麼一回事，沒有那麼一回事！「孤燈」的稿子，第一期的我已經做成，你是曉得

的。第二三期的，我也已經有把握了。不過我的
幾位同志。他們白天把辦公的時間犧牲了，每日
在討論收求各種材料，這麼炎熱的天氣，晚來又
在電燈光下，流着汗水整理稿件，我這幾位好友
的精神，我很感佩，我很覺得我們「孤燈」不孤。
啊啊，但是，但是我總病了。我這一病就病倒了
四天。我一點也不能幫助他們，你叫我的心裏怎
麼能夠過得下去呢？（念以雙手按胸，昂頭呈亢奮之
態。）

　　——（有問）你是病了，暫時不能做事情，並不
有意迴避，你也別要過於苛譴了你自己呢。剛纔
T 先生他們來看你時，不是向你說過，說是第一
期的編輯，已經停妥，叫你一切也不要擔心嗎？
你請好好靜養，你這暫時的休息，正是天要降大
任於你的緣故呢。

　　——啊，T 君們的精神，我真佩服得很。一
切的人都在外面黑暗的曠野中哀叫——你聽見他
們叫的聲音沒有？——『快把點光明來呀！快把

82

點光明來呀！可憐我們在這唔中行路，碰得頭破血流了。快把光明給我們呀』！他們的聲音叫得哀而且銳，從黑唔的渾沌中劈了過來，把我的耳鼓也快要劈壞了，把我的心臟也快要劈破了。啊啊，我們這盞孤燈，是不得不早早擎出去！外邊的風雨雖然還是狂暴，我們這盞孤燈是不能不早早擎出去！啊啊，我想擎起一把火把在那曠野裏馳騁，使狼們見了我的火光早早退避，使人們見了火光早得安甯。啊啊，我想擎起一把火把在曠野中去馳騁呀！人們！你們怪可憐了！……

　　——博士，你太興奮了呢！K先生不是叫你少說些話，要保持安靜嗎？

　　——醫生叫我少說話，是盡他們的責任；我要說我想說的話，是盡我的責任；我們大家各求心之所安，天下萬事甚麼不平都不會有了。

　　——你自己就算安心，我呢？啊，我看你那麼自己苦你自己，比我自身受盡千磨萬折的，還要……酸辛。（極咽）

—— 哦哈，我對你不住！對你不住！（握夫人手）我不再多說話了，你請在這沙發上我們並着肩兒坐下罷。

（夫人坐，兩人沈默有間。）

啊，我想我們年青的時候，那時候我們眞是甘美。算來要算是十四五年前了。那時候你在我家裏念書，你還是十五六歲的少女，你眞聰明伶俐。我們同心一意建築了一座神聖的殿堂，但是不久我們又把牠毀壞了。—— 不是，不是，不是毀壞了，是我們把牠擴張了起來：我把我對於你一人的專愛，擴張了起來愛國家，愛人類，你也把你對於我一人的專愛，擴張起來撫育我們的子女。我們結婚之後，不久便生了我們的大女，接着便是二兒三女四女。如今大女……哦，她多少歲數了呢？

—— 十二歲了。

—— 四女也滿了三歲了。這十幾年之間，養育的事，都是你一人擔任，你眞勞瘁極了。我在

84

大革命的時候，我跳出研究室，四處奔走國事，但是我不久便灰了心了。不是，我不是灰了心，我看見許多號稱志士的，都是自私自利的人，都是沒有真正的愛國愛人的赤心，我是不想再和他們一塊兒胡混了。我在八年前便走到此地來，我來經營我自己的田地。不是，不是經營我自己的田地，我是要由我個人的力量來替國家社會經營一種待墾的田地。我擬定了三大要件，我要逐一地開墾起來。我第一便想整理國語文字，其次便要整理國故，其三我待機會來時，我還要發揮我改革政治的理想。啊啊，可惜我當做的事業甚多，我是志有餘而體力不濟。我在八年之內，專門着手改造國語文字，我做了一部「國語文法草案」，大概是已經成功了。我還在做一部「國文辭典」，可惜只編好了八九成，其餘還在腦精裏。這些事情你都是曉得的，我也不用多說。啊啊，我只是，我只是覺得對你不起。我這幾年來，只照着我自己的計劃，着着想實現起去，我把你孤撇

了，兒女的教育都全靠你一人擔任，我覺得眞是
對你不起。……

　　——你不用說這樣傷感的話罷。你剛纔不是
說過，你不再多說話了嗎？你說着說着，又要亢
奮起來了，於你的身子眞不好呢。

　　——啊啊，我今晚上不知道是甚麼緣故，總
像有許多話不得不向你說的一樣，我們說話的機
會漸漸少了，你請容我今晚上說個盡興罷。我不
說，就好像沒有機會再說的一樣。

　　——你說也可以，只要不要太動了你的感情
。我坐在你的旁邊聽你說話，我是再好沒有的，
只是不要太傷了你的精神纔好。你此刻心上怎麼
樣？沒有甚麼苦楚麼？

　　——我心裏很好過，此刻好像甚麼病苦也沒
有的一樣。我再停一晌，總會好起來，我當做的
事情還多得很呢！唉，宇宙萬彙，都是以愛爲結
合的。我做我的事業，你養你的兒女，我們都不
是爲的自己。我們把愛力擴充了起來，對於人類

86

社會作獻身的供奉，我們所成就的雖然還小，但
是我們總可以問心無愧。—— 啊啊，兒女也漸漸
要長成了。以你現在的學力還足以教育他們幾年
，我等我的事業稍有結束的時候，我要盡心教育
他們，使他們得成完人，也好爲人類社會盡一分
的天職。但是，我現刻是不能不累你一人勞頓呢。

　　—— 我並不覺得甚麼勞頓。只是你總要好生
保重你的身體纔好。身體是一切事業的基礎，總
要保得你身體康強，你的事業纔容易達到目的呢
。

　　—— 我很感謝你，我自己也很曉得的。不怕
我的身子就病了，我的精神比鋼鐵也還要堅固，
我是不屑於降服在一些微小的細菌之下。

　　（沈默有間。）

　　—— 快要到一點鐘了，你請到裏面去睡罷。

　　—— 不，我不想到裏面去睡。你等我再坐一
兩點鐘，我好在這沙發上安安然然地睡去。

　　—— 我怕你又着了涼呢。

——不，不會。我自從買了這張沙發來，我睡在這上面真是舒服，就好像死人睡在墳墓裏的一樣。

——啊，你談的話真是不吉祥呢！

——你總還是脫離不了幾分迷信。好，這種話我也不想說了，說了使你擔心，也對你不起。啊，我總還有三件大事還沒有成就。……我想吸菸，你請把隻香菸給我。

（夫人起至棹上取隻香菸，遞與博士，擦火柴燃之。

仍退坐沙發上。）

（博士吸菸，不語有間。菸隻漸漸短減，博士口吹白

烟，凝視而不瞬。）

——啊，可憐，可憐！可憐一切的存在都好像這隻香菸，可憐一切的事業都好像這些烟子。

（又沉默秒時，香菸已盡，博士執其餘蒂，欲投又止。）

啊，可憐，可憐！可憐這有限的菸隻，也不能吸用到底。（說罷投之）

——你今晚上怎麼只談這樣猜謎一樣的話呢？

88

　　——哈哈，我這話你不了解嗎？你聽罷，我說給你聽。我覺得我們的一生實在和奄香菸差不多。我們的精神能力，就好像香菸中所含的能（Energy）。我們的事業云爲，就好像香菸中所生出的煙子。香菸只是愈吸愈短的。人生七十古來稀，誰個能把剩下的菸蒂都吸完呢？……你看，剛纔在這房中繞着的煙子，現在也不見了；我們的事業不就好像這煙子一樣，不久也就要消去了嗎？

　　——你說的這道理，我恐怕只是道着半面呢。我從前聽過你講物理學，你說能（Energy）是不生不滅的，牠是只有變形，沒有消失。你不是這麼說過嗎？

　　（博士頷首）

　　——由香菸而發生煙子，煙子是瀰散在太空中也沒有消滅的。我們的精神和精神上的事業，不也是這樣嗎？釋迦的道理，到現在還是支配着全世界。就譬如你所發的言論，所做的事業，安

知其不像那翅果一樣，早飛到甚麼地方，已經生出了樹木來了呢？我相信你的精神是不朽的，你的事業是永有生命的。

　　——哈哈，你真是我的好朋友。我能得這樣的結果，我便甚麼都可以放心了。啊啊，說話過多，口中倒有點渴起來了！請你倒盃茶給我。

　　（夫人起倒茶）

　　——茶涼了，等我去弄點熱的來罷。

　　——啊，也好，不過太勞了你。

　　——不要說那樣的話呢，（夫人下）

　　室後人語聲

　　——夫人，你早起來了嗎？

　　——唉，病人要吃茶，我要去煬點茶來。……你不必起來，我自去做好了。

　　——不，我已經起來。

　　（語聲息，聞人下樓聲。）

90

博士復倒身仰臥沙發上，义手在胸，閉目。

沈默移時。

隣室時鐘，又敲一下。

博士復奮然起坐。

——啊啊！又是一點鐘了！這時鐘的聲音，比大礮的轟擊還要可怕！啊啊！我的生命，我的生命就這麼一刻一刻地被剝奪了去了！……哦！那窗外黑團團的影子是甚麼？！（指窗外樹影。）哼！你們在向我獰視而笑嗎？你們欺我人孤勢寡嗎？我要孤軍奮鬪！我要孤軍奮鬪！（向窗外揮拳）叱！去罷！汝等貪婪的病魔，甘人生命的細菌！叱！去罷！（聲音愈激愈烈。）

（樓下聞人有趨步上樓聲。）

哼！汝等還在向我獰笑！我清明在躬，我是不甘受汝等揶揄的！你看！（擲身旁古書一册，打窗作響。）

（此時夫人復蹇簾而入，急趨博士側。）

81

—— 你怎麼了？

—— 哦，你來得正好，來得正好！你看那窗外的是些甚麼？

—— 沒有甚麼呢。

—— 那黑魆魆的是些甚麼？

—— 那是洋梧桐的樹影呢，

—— 哈哈，那纔是洋梧桐，我倒把牠們錯認了。

—— 你又想起來做文章了嗎？

—— 不是，我不是想起來做甚麼。唔，剛纔打了一點鐘了呢，我還有兩件大事還沒有做好。

　　　看護女子著黑色西式寢衣，執開水一壺並牛奶一瓶上。

　　　夫人起換茶葉，倒茶一盃將送博士。

　　看護女子——先生，先吃牛奶好麼？

　　博士——不，我現刻只想吃茶。牛奶請你把來均成三盃，等我吃了茶之後，我們再吃罷。

92

夫人(遞茶博士手中。)

看護女子(在棹上均分牛奶。)

博士(呷茶)啊，多謝你們？……我想我們中國的文字，能夠通用於九州萬國的，怕是這個「茶」字了。我們中國固有的文化，我們中國『生而不恃，爲而不有』的古代精神，如能有這茶的勢力一樣的偉大，那這世界上是甚麼爭亂都不會有了！啊啊！中國人的墮落！世界人的不幸！(呷茶一飲而盡，遞盂於夫人)。對不住。

夫人——還喝一杯麼？

博士——不了，我們喝牛奶罷。

看護女子——牛奶均好了。

博士——均好了嗎？那嗎，我喝一盃，夫人喝一盃，你喝一盃。

夫人——我不要喝。

女子——先生一個人喝好了。

博士——你們都不要客氣，我們大家喝了快暢些。

93

（看護女子各送一盃於博士與夫人，三人各啜一盃）。

博士——治國平天下的大道理，也不過如此而已。我要算是飲盡了最後一杯的生命泉了。啊啊，我的三大事件！我的三大事件！好了，不說了。我菸也吃了，茶也吃了，牛奶也吃了，我可以安然睡去了。睡罷，你們都請去睡罷。

夫人——我們想扶你進裏面去睡呢。

博士——不，我不肯離開我這書齋，我在這沙發上睡着舒服得很。

夫人——我怕你着了涼呢。

博士——不，不會。再沒有涼會來着我。你們都請去睡了罷。請把電燈給我閉了，我好安安然然地睡去。

（夫人滅電燈，偕看護女子辭下。）

室中幽暗，博士仰臥沙發上，沈默。

如此數分鐘。月光漸從窗外照入，漸漸移徙，移到博士身上，移到博士臉上。臉色白如乳玉，閉目又

94

手如前。

博士時以手撫面，時自摩擦其手。

——啊啊，我這臉上就好像有人撫摩着的一樣。我這兩手也是。就好像年小時候，我母親的手撫摩着我的一樣。

（撥後張其兩眼，看見月光）。

哦，好明亮的月光！

（徐徐自沙發坐起）。

小時候母親教我的『春江花月夜』一詩，我至今還能成誦。

（朗吟）春江潮水連海平，

海上明月共潮生，

灩灩隨波千萬里，

何處春江無月明？

啊啊，大海已近在我眼前了。

我自從離却了我月下的故鄉，那浩淼茫茫的大海，我駕着一隻扁舟，沿着一道小河，逆流而上。

55

上流的潮水時來冲打我的船頭，我是一直向前，我不曾迴過我的柁，我不曾停過我的槳。

不怕周圍的風波如何險惡，我不曾畏縮過，我不曾受過他們支配，我是一直向前，我是不曾迴過我的柁，不曾停過我的槳。

我是想去救渡那潮流兩岸失了水的人們，啊啊，我不知道是幾時，我的柁也不靈，槳也不聽命，上流的潮水，把我這隻扁舟又推送了轉來。

如今大海又近在我眼前了！

我月下的故鄉，那浩淼無邊的大海又近在我眼前了！

哦哦，那不是我的母親！

她披着素羅，站在一隻貝売舟上，手中拿着一枝蓮花。

她走近來了，走近來了。

母親．你在向你兒子微笑嗎？

母親！你在向你兒子招手嗎？

96

母親！你在向你兒子唱歌嗎？

母親！我來了！

啊啊，母親！母親！母親！………

（伸手向前抱空，撲到在地。）

夫人與看護女子趨出。

夫人——先生，先生，你怎麼了？

（無應聲。二人移博士於沙發上，看護女子扭開電

燈。）

先生，先生，你怎麼了？

啊啊，臉色怎麼這樣蒼白呢？

手怎麼這樣冰冷呢？

啊啊，先生！先生！先生！………

看護女子（執博士手評脈，驚呼。）啊啊！博士先生

脈都停了！

夫人—— 啊啊！………

（夫人暈倒在地。）

—— 幕 ——

十一年八月十九日夜

廣　寒　宮

（童　話　劇）

時……地上黑暗與睡眠支配着的時候。

地……月裏廣寒宮嫦娥們讀書之別院。

景……一片冰岩雪窟，正中簇擁書院一
　　　橡，以碧玉爲階，以朱玉爲柱，
　　　無窗戶門壁，以雲母爲簾，垂而
　　　未捲，屋瓦凝冰，一片瑩白。
　　　院前廠地，上積冰雪。中央有桂
　　　樹一株，大可合抱，高與屋齊，
　　　枝葉暢茂。翠葉如玉片紛披，枝
　　　幹如青銅滑膩。
　　　上有一片蔚藍色的天空，明星點

08

點。

　　嫦娥二人自右翼負書笈而出。散髮，勒
　　以金環，額前着銀星一朵。衣色純白，
　　長袖寬博，裾長曳地。

第一　妹妹，地上的囂聲，已如遠潮一樣，漸漸
　　消退，羣星都已醒來，這正是我們歌舞的時候
　　了。

第二　我們來得太早，姊妹們都還沒有起來呢。

第一　她們總愛貪睡，不怕天雞叫得多麼高，總
　　不容易把她們叫醒。等她們醒來的時候，張果
　　老先生又要起來干涉我們了。

第二　可不是嗎？我們那張果老先生，眞是令人討
　　厭。我們歌舞着時，羣星也在同我們歌歌，羣
　　星也在同我們舞舞，那是多麼高興，他要來管
　　束我們，要叫我們去讀那不可了解的怪書，我
　　們眞是把他沒法呢。我們能得想個法子出來，

把他拘束着，聽隨我們自由，那是多麼好啦！

第一　可不是嗎？但是我們想不出法子來，也只
　　　好偷着空兒取樂，可惜她們偏偏又要貪睡呢。

　　　　兩人走至桂花樹下，攀吊樹枝，作鞦韆
　　　　舞。

第二　姐姐，你可知道。這株樹子是甚麼名兒？

第一　這是地上的桂花樹兒，我是昨天繪聽張果
　　　老先生講的。

第二　地上的樹木，爲甚麼能夠生長在我們月宮
　　　裏呢？

第一　他說是在不知道多少年辰以前，那銀河東
　　　岸住着的織女姑娘，無端想和對岸的牽牛童子
　　　相會，但是因爲有天河隔着他們，他們不能渡
　　　河，織女姑娘是很靈巧的人，她用黑白絲絹，
　　　剪成十三隻鳥兒，向他們嘆道：啊，去呀！他
　　　們也就「啊去呀啊去呀」地叫着飛起去了。他
　　　們飛到地上去，採集許多香水來，在銀河上面
　　　駕了一道橋兒；因此織女和牽牛，便得在橋頭

100

相會。但是地上的東西是不能經久的。等他們
會了一刻之後,那鳥兒們便要把橋折毀,合飛
到塵世去。聽說自從那時起,塵世上綫有那種
鳥兒,因爲他們只是「啊去呀啊去呀」地叫,所
以地上的人都叫他們是「鴉鵲」。這些鴉鵲們每
到一定的時候,總要飛來天上搭一次橋,搭了
又折含回去。他們有一次,銜來的樹枝落了一
枝到我們月宮裏來,張果老先生把他插在我們
學堂門前,便長成這麼大的一株桂樹了。——
這些話眞確不眞確我雖是不得而知,但是是他
親自對我說的。

第二　哦,原來總有這麼一段稀奇的故事兒!無
怪這桂花樹兒,總有些不同,我們月中的梭欄
樹兒們,都是青皤透明的,這株桂花樹兒,他
偏會多生枝葉,並且在這明淨的地方,偏會生
出些陰影來,這眞是株不良樹兒呢。你看,他
又不開花,又不結子。

第一　妹妹,你倒錯怪了他了。聽說他在地上原

是頂珍貴的樹兒，他每年要開一次香花，落到我們月宮裏來，因爲氣候不同，所以他便永遠不能開花，只好多生枝葉了。

第二　那嗎，他倒可憐了。

第一　可憐他離却故鄉，孤身獨自。

第二　姐姐，他這樣不言不語，怕他心中在暗暗地怨恨那織女姑娘呢？我倒很想做首詩來替他申訴，可惜我又做不好。

第一　妹妹，你做罷！你快做罷！你做出來念給我聽聽咧！

第二　（繞樹沈吟一會）　姐姐，我有了，可是不好。

第一　你快念給我聽聽咧！不要躊躇呀！我們姊妹間還害甚麼羞呢？

第二　（朗吟）　天河涓涓水在流，
　　　　　　　　怨她織女戀牽牛。
　　　　　　　　爲多一片殷勤意，
　　　　　　　　惹得香花失故丘。

102

第一　妹妹，你這不是一首好詩嗎？你的心兒眞
　　　靈敏呀！——

第二　噯喲姐姐，你終愛奉承！

第一　我却不是奉承，我想這不言不語的樹兒，
　　　怕在唔唔地向你道謝呢？你等我把這詩兒，刻
　　　在這樹皮兒上罷。（自書笈中收出裁紙刀兒一
　　　柄，走至樹下）

第二　（攔阻）　姐姐，你不要刻呀！

第一　（不應，用刀刻樹，先念出「天河涓涓」四
　　　字，刀刻不進）哦呀！這株樹兒眞是奇怪！我
　　　的刀兒刻不進呀！我們月中的樹兒都是鮮葳葳
　　　的，嫩禾禾的，便用指甲兒也可以搯彈得破，
　　　偏這樹兒總這麼頑皮呢！

第二　刻不進正好！刻不進正好！免得我露出醜
　　　來。

　　　　（唱歌之聲起）

哦呀，姐姐！她們都醒來了！她們唱起歌兒來
了！

第一 來了！她們來了！我們藏在這棵樹兒背後
，驚嚇她們一下罷。

第二 那是很有趣兒，那是很有趣兒。（兩人躲
入樹後。）

歌聲——女兒數人合唱

地上夜深時，

月中朝日起。

天雞叫遙空，

笙歌漾天宇。

天宇色青青，

星星次第明。

姊妹月中人，

雲彩衣上生。

嫦娥數人，與前兩人作同樣裝束，自右
側魚貫而出。

我們今天來得卻是太早，張果老先生他還沒有醒
來呢。

104

我們往常來的時候，他總在這株樹兒下坐着等我
　們，想起他那樣兒來，我真想笑死了。

往常來得很早的兩位姐姐，今早怎麼不見人呢？

怕她們在睡懶覺了。

今早等她們來時，我們好取笑她們一場。

怕她們早早進了學堂去了？

我不相信。

我不相信。

我不相信她們便早早進了學堂，她們平時都不是
　很厭惡張果老先生的嗎？

我想我們不恨張果老先生的人怕沒有。

張果老先生他真是討厭的人，你看他耳又聾，眼
　又瞎，背又駝，脚又短，他走起路來，倒是非
　常之快。別家人正在歡樂的時候，他就好像一
　顆流星一樣，一溜地就跳起來了。

我最討厭的是他那個樣兒。你看，他那對眉毛，
　長得來快要吊到嘴角了；他那簇鬍子，翹在嘴
　下，就像隻兔子的尾巴一樣呢。

他身上的穿着，又不逗人笑嗎？一件黃棉襖兒，
　袖子又長，腰身又短，腿套也是黃的，鞋襪也
　是黃的，他又戴一頂紅耳絆兒的黃風帽兒。你
　看，他一弓起背兒走來，那纔不像一個人樣兒
　呢！

我前兩天做了兩首可笑的歌兒，我怕你們怪我，
　我不敢對你們說。

你做的是甚麼可笑的歌兒？你說罷！

你說罷！

你念出來我們大家聽聽！

我做的是「張果老的歌兒」，我們大家圍成一個圈
　兒，等我唱兩句，你們大家給着我和起來罷。

那是很有趣兒！那是很有趣兒！

　　　衆嫦娥排成一個圓形，提頭者站立在中
　　央，調好聲息，唱：

　　　　張果老，

　　　　逗人笑……

　　　纔唱兩句，便自行發起笑來。

106

你自己便笑了，還有甚麼趣味呢？

　　提頭者調好聲息再唱，每唱兩句，其餘
　　合聲和之：
　　　　張果老，
　　　　逗人笑！
　　　　眉長長過眼，
　　　　背駝高過腦。
　　　　目眇耳又聾，
　　　　鬍鬚嘴下翹。
　　　　黃風帽兒紅耳絆，
　　　　身上穿着黃棉襖。

　　　　黃棉襖，
　　　　短又小。
　　　　身長不過膝，
　　　　袖長長過爪。
　　　　一對鴨兒鞋，
　　　　一雙黃腿套。

　　　　弓起背兒走起來，

　　　　好像一個猴兒跳。

　　最尾兩句，衆人不能唱和，喧笑起來。

　　樹後有老人聲息：「你們這些頑皮的丫

　　頭？你們不進學堂來讀書，還在那兒取

　　笑我啦！」

　　衆嫦娥驚惶失措，紛紛向學堂跑去。

　　二嫦娥揚笑聲自樹後挺出。

你這兩個頑皮丫頭！你們真駭得我們不淺！

我們要懲罰你們！我們要懲罰你們！

　　　　牽扭二人而胳肢之，笑聲雜沓，在樹下

　　　　羣相追逐。

第一　饒了我們罷！饒了我們罷！

第二　我們本來沒有罪過，是你們自己虛了心。

第一　是你們自己糊塗了。

衆人　你們還說是我們自己糊塗嗎？

第一　噯喲，不要胳肢得人這麼怪難過的。

第二　你們總不該背着先生說壞話啦！不是自己

108

　　糊塗，是誰個糊塗呢？

數人　　就算是我們錯了，我們糊塗了，你們總不

　　該做出那麼詭詐的勾當啦！

第三　　姐姐妹妹們，你們等我來和解罷！我們大

　　家都鬆了手罷！

　　　　　眾嬙娥各各鬆手聽命。

數人　　姐姐！你要怎麼和解呢！

第三　　今朝總算是她們錯了，她們不該欺詐我們

　　，我們罰她們唱曲歌兒來贖罪，你們看好不好

　　？

第四　　好便是好，但是我想應該加個條件。

第三　　加個甚麼條件呢？

第四　　我們要叫她們唱一曲新鮮的歌兒，歌着一

　　段故事，要是我們不曉得的。並且至短要在四

　　節以上，各人唱一節，要不準她們商量，不準

　　她們思索。看她們情願不情願？

第三　　噯嘴，你這樣是苦人的難題了！

其他　　不苦不成刑罰呢！

第三 （對於二人） 你們情願不情願呢？

　　兩人相視而頷首。

第一 不要緊，不說只是一曲歌兒，

第二 就是十曲百曲，我們也情願唱呢。

第三 那嗎，你們就請唱罷！唱得不好的時候，

　再罰你們十曲百曲！

　　　　衆嫦娥排成新月形，兩人在前方交互歌
　　　唱，唱時做出種種姿勢，表現歌中情節。

　　　　（第一）

　　　　天河涓涓水在流，

　　　　隔河織女戀牽牛。

　　　　可憐身無雙飛翼，

　　　　可憐水上無行舟。

　　　　（第二）

　　　　可憐水上無行舟，

　　　　窈窕心中生暗愁。

　　　　愁到清輝減顏色，

　　　　愁如流水之悠悠。

110

（第一）

愁如流水之悠悠，

悠悠此恨何時休？

織就絹絲三百兩，

織成鴉鵲十三頭。

（第二）

織成鴉鵲十三頭，

放入塵寰大九州，

採來地上之香木，

採來天上效綢繆。

（第一）

採來天上效綢繆，

天河之上鵲橋浮。

橋頭牛女私相會，

橋下涓涓水在流。

第二　好了，我們的歌兒唱完了，你們滿足不滿
　　足呢？

好極了！好極了！

111

那來這麼一段有趣的故事兒？

兩位姐姐，是你們自己編出來的嗎？

第一　不是的，是我們聽來的呢。

姐姐們是從甚麼地方聽來的？

第二　是她從張果老先生聽來的呢。她剛纔纔對
　　　我講起，還有更有趣的，就是這株樹兒（指桂樹
　　　），他正是鴉鵲們從地上銜來的香木呢！

這麼大的一株樹子，怎麼能從地上銜來？

第一　噯喲，你們眞是聰明！他被銜來的時候，
　　　只不過是枝枯枝，張果老先生把他插在這兒，
　　　他便活了，不知道長了多少年辰，纔長到這麼
　　　大的呢。

哈哈，眞的嗎？這眞奇怪啦！

第二　這還不算奇怪，還有更奇怪的呢！我們剛
　　　纔來的時候，想在這樹皮兒上刻幾個字兒，我
　　　們的裁紙刀兒纔刻不進呢。

有那樣的事情？我們不信！

我們不信有那樣的事情！

112

　　　　罩自書笈中取出裁紙刀兒，走至樹下刻

　　試。

妮呀，真的刻不進呢！

真的刻不進呢！

我們月宮中會有這樣頑皮的樹兒！

哈哈，我倒想出一個計策來了！

是甚麼計策呢？

是甚麼計策呢？

我想起張果老先生他前幾天說過，他說他眼睛不

　　好，這株樹兒長得太高太大了，把學堂遮得怪

　　黑暗的，他要把他斫去。他前幾天不是這麼說

　　過嗎？

第一　不錯，不錯，他是這麼說過，他是這麼說

　　過。我們今天等他出來的時候，就叫他把這樹

　　兒斫倒，要是他不斫倒的時候，我們便再不進

　　那黑漆漆的學堂裏面讀書去了。

第二　不錯，不錯。他自然是不會斫倒，我們去

　　叫他來罷。

群相聚議之際，張果老牟揭曹院正中一

籬，弓背而出，走至樹前，嫦娥們與之

璧面相遇。各各蕭然斂揖。

先生起來了，先生早安！

果老　你們早來，怎麼還不進學堂，還在這兒做

甚？

群人面面相覷後，同聲發言：

先生！我們有話向你說呀！

果老解開帽絆，傾耳作諦聽狀。

先生前兩天不是說過，說這株樹兒長得太高太大

了，把學堂遮得怪黑暗的，先生說要把牠斫倒

。先生不是說過這句話嗎？

果老頷首。

先生，我們今朝來，便是要請先生斫倒這株樹兒

。要斫倒後，我們總好進學堂裏去讀書。就請

先生今朝把牠斫倒了罷！

果老（頷首）　我說過的話是定要做的，我做的

事情，不做徹底是不罷手的。你們走兩個去，

114

去把我的板斧抬來，等我今朝就着手斫倒他罷
。等我斫倒了之後，你們再進學堂來也好。

　　第一第二兩嫦娥，應聲往書院中去。
這株樹兒，原來不是月宮中的樹木，把他們斫
了，倒也沒有甚麼可惜。在你們所不能計算的
多少年辰以前，那天河南岸的織女姑娘，想和
對岸的牛郎相會。她因為不能渡河，總剪了十
三隻鴉鵲，放往塵世上去，放去銜些香木來在
天河上鵲起橋兒，使她得和牛郎相會。那時從
鴉鵲口中落了小小一枝枯枝來，我不該多事，
把他插在這兒。他總一年長似一年，竟長得這
麼大了，顛轉在這明淨地方，生出許多陰影來
了。

　　二嫦娥抬一石斧出，授諸果老。
好了，我便斫倒牠罷。生在我手裏的，照例是
死在我手裏。你們各人去罷，等我斫倒了之後
，改天再來讀書罷！

　　衆嫦娥向果老鞠躬高聲告退：

115

先生！我們去了，（向左翼而退，低聲相語）

我們往廣寒宮去作霓裳羽衣舞去罷！（再回顧果
　老，行一鞠躬禮）

我們看你幾時總能夠把牠斫得倒呢！（退）

　　　果老執斧斫樹，丁丁作聲，只見樹枝震
　　搖，樹身永不受些兒傷影。

　　　　（幕）

十一年四月二日脫稿

116

牧 羊 哀 話

（一）

　　金剛山高二千峯的山靈，早把我的魂魄，從海天萬里之外，接引到朝鮮來了。我到了朝鮮之後，住在這金剛山下，日本海上，一個小小的村落裏面。村名叫着仙蒼里。村上只有十來戶人家，都是面海背山，半新不舊的茅屋。家家前面，有的是蒺藜牆圍；更有花木桑松，時從牆頭露見。村南村北，沿海一帶，都是松林，只這村之近旁，有數畝農田，幾行桑柘。菜花麥蒡，把那農田數畝，早鋪成金碧迷離。那東南邊松樹林中，有道小川，名叫赤壁江，匯集萬二千峯的溪流，暮暮朝朝，帶着哀怨的聲音，被那狂暴的日本海潮吞吸而去。

　　我初到村裏的時候，村裏人疑我是假冒的中

118

國人，家家都不肯留我寄宿。幸虧這村南盡頭，有位姓尹的媽媽，年紀已在五十以上。一人孤居，長齋禮佛。他聽明了我的來意，憐我萬里遠來，無親無眷；總把我留在他家中住下了。尹媽門首，貼付白色門聯，——朝鮮風俗尚白，門上春聯，也用白紙，儼然如同國內喪事人家一般。聯上寫的現成詩語。進得門夫，小小一個中庭，薄有幾多花木。正面家屋，是一列三間；中間堂屋，兩邊住房，堂屋裏有層隔壁，隔成前後兩間，有戶相通。前堂上首，有座神桌，當中供尊玉磁觀音，左手有尊牌位。從戶口望去，屋後似有菜圃一圓，直接金剛山麓。尹媽叫我在這右手房中住下了。房裏別無他物，只有一張短榮，兩面推窗，像是久無人居，早變就灰塵世界。

住在尹媽家裏，不知不覺的一個多星期的時間瞬已過我而去。我每日裏，無論天晴落雨，從早起水，便去遊山探勝，抵暮始歸。一多星期之中，除了村後的九仙峯外，這偌大個金剛，到

119

要幾幾乎被我踏遍了。毘盧，彌勒，白馬，永郎，凡這萬二千峯的朝容晚態，雨趣晴姿，已深深印入我腦海之中；我只一閉眼，一凝眸，便一一如同活動電影一般，呈來網膜之上。只可惜我不是文人，又不會畫畫；不能把他完完全全的寫了出來，畫了出來，送給我兄弟朋友們看看呢。

（二）

獨坐九仙峯頂，仙人井畔，西望那夕陽光裏的金剛，色相莊嚴，雲烟浮動，我的靈魂，早已陶然沈醉，脫壳優遊。忽然陣陣淸風，從前山脚下，吹來一片歌聲。哀婉淒涼，分明是女兒聲息。側耳聽時，只聽道：

太陽迎我上山來，

太陽送我下山去，

太陽下山有上時，

收羊郎去無時歸。

羊兒啼，

聲甚悲。

129

　　　　羊兒望郎，郎可知？

歌聲中斷。隨聞羝羊悲鳴聲。鈴聲幽微，

幾不可辨。

　　　　羊兒頸上之鈴兒，

　　　　一一是郎親手繫，

　　　　繫鈴人去無時歸，

　　　　鈴條欲斷鈴兒危。

　　　　羊兒啼，

　　　　聲甚悲。

　　　　羊兒望郎，郎可知？

聲浪漸行漸遠，盪漾在清和晚氣之中，一

聲聲澈入心脾，催人眼淚。

　　　　非我無剪刀，

　　　　不剪羊兒衣。

　　　　上有英郎金剪痕，

　　　　消時令我魂消去。

　　　　非我無青絲，

不把鈴兒繫。

我待鈴條一斷時，

要到英郎身邊去。

　　聽到此處，我已潛潛的吊下了淚來。我忙立
起身來，站在山頂西北角上一顆松樹脚下。往下
看時，只見那往高城的路上，有羣綿羊，可十餘
頭，帶着薄暮的斜暉，圍繞着一位女郎，徐徐而
進。女郎頭上頂着一件湖色帔衫，下面露出的是
絳灰裙子，芒鞋天足，隨步隨歌，歌聲漸遠，漸
漸要不能辨悉了。

　　　羊兒！羊兒！

　　　你莫悲哀！

　　　有我還在，

　　　　虎豹不敢來。

　　　虎豹牠縱來；

　　　我們拚了命，

　　　憑牠銜去哉！

　　　羊兒！羊兒！

122

你莫悲哀！

女郎的歌聲，早隨落日西沈。女郎的影兒，也被前山遮去了。我的靈魂，在清冷淚泉中受洗禮。我立在松樹脚下，不知過了幾多時辰，早已萬山入眠，羣星瞑目，遠從那東海天邊，更飛上半規明鏡了。

（三）

「客人，那是我們閔家佩英小姐呢」？

我同尹媽二人，坐在堂簷邊上，談說日間所見。尹媽把那牧羊女郎的姓名告了我。

「旣是位名門小姐，爲何在此親自牧羊呢？」

我這一問，似乎打動了她無限的心事。她緊緊的望着空中皓月，半晌不曾回答我。我從月光之下，偸看得她的眼兒，早成兩個淚湖。我失悔我不該盤根究底，這樣的苦了她。我正屛息懸心，揣摩不着，尹媽漸漸拭了眼淚，從新轉向於我。

「傷心往事，本想絕口不提。客人旣是下問

懇摯，我不能辜負你的盛意。但這萬緒千頭，我
不知道該從何處說起？」

停了一會，她又總往下說道：

「佩荑小姐本不是這裏的人，十年以前，家
住京城大漢門外。小姐的父親閔崇華，本是李朝
的子爵。只因當時朝裏，出了一派奸臣，勾引外
人結了甚麼合邦條約。閔子爵一奏連了幾本，請
朝廷除佞安邦，本本都不見批發。子爵見大勢已
去，不可挽回。便棄了官職攜帶一門上下，總從
京城裏遷徙而來。

子爵前配夫人金氏，十六年前早已過世。繼
配夫人李氏別無生育。金氏夫人死時，佩荑小姐
年總五歲，子爵憐愛異常，命我一人貼身侍奉小
姐。我們尹氏門中，先祖代代，都是閔府家人。
我的良人尹石虎，也是閔府中司事。我從前本有
個小兒，⋯⋯⋯」

說着說着，尹媽的聲音便咽哽了起來。

「我的兒子名叫尹子英，是閔子爵替他取的

124

名字。子爵十分愛他，常叫他作『英兒英兒』。英
兒比佩荑小姐長得一歲，小姐常叫他作英哥，英
兒也儘分音叫小姐是荑妹。他們兩人兒你憐我愛
的，倒真正是如同同胞骨肉一般。

李氏夫人也是名門小姐，從小時便到日本留
學，畢業之後，又曾經遊歷過紐育，倫敦，巴黎
，維也納。算來是在國內的時候少，在國外的時
候多呢。歸國的時候，年纔二十二歲，恰好金氏
夫人下世後，已經滿了三年。李府倩人說合。不
久便做了子爵的繼室。子爵未棄官以前，李夫人
在京城裏社交場中，要算是數一數二的新新巾幗
。客人，你試想想，這樣個聰明怜悧，有學問，
有才幹的新夫人，怎麼能自甘淡白，久受這山村
生活的辛苦呢？

閔子爵遷到這兒來後，便住在那高城靜安寺
中；摒去一切浮華，不干世務。只因寺裏住不下
多人，小姐已漸漸長大，便叫我們夫婦二人，來
這仙苔里安身；只把英兒留在寺中，買了二三十

匹羊兒，叫他看管。那時候我那英兒已經長到十二歲上了。白日裏每逢天晴，他便趕着羊兒在山前山後去放。有時佩荑小姐也同他一路而去。他們兩人到不知迷了多少囘數路途，惹得我們受了多少囘數的虛驚呢！

我記得他們有一次到了半夜裏還不見囘寺。子爵以爲是在我們家裏耍着了，叫了幾個寺僧來接。他們是並不在我們家裏的。我們大家驚惶起來，忙分頭去四處尋找，找到海金剛，遠見得一羣羊兒睡在海岸上。英兒靠着一個岩壁，佩荑小姐靠着英兒的肩頭，他們倆早都睡熟了。那天晚上，也是有這樣的月兒。月光兒照着，海潮兒搖着，他們就好像睡在個大搖籃裏面的一樣。他們那時候的光景，我是再也不會忘記的呢！

每逢落雨不能放羊的時候，英兒便在寺中隨着住持僧衆們操拳學武，晚來便同小姐兩人在子爵面前讀書寫字。無風無浪的過了四年，我那英兒已經長到了十六歲，佩荑小姐也長到了十五歲

126

上了。子爵常說，不久要帶他們到你們大國去，使他們長長見識。唉！誰知天不從人，我那英兒，他就在那年，………」

尹媽很傷心的哭了起來。我也覺得有種大不幸的先兆來逼進我，我只一陣陣的不寒而慄，恰巧那天上的月兒，也被一朵鵶黑的烏雲遮了去，愈覺得令人淒楚不堪。我又不敢往下問，只得等尹媽哭住了，纔聽她含淚說道：

「他——他就在那年，被他的父——父親——殺了！」

說着又哭了起來。我也禁不得心酸逐鼻。我想尋句話來安慰她，但連半句也尋不出。我只得起去倒了杯茶來請她呷。她接在手中呷了幾口，說道：

「以下的話還長，等我去把英兒的遺書取了來再往下說罷。」

（四）

夜分已深，外邊天氣甚涼；尹媽叫我進房中

127

坐去。我同她進了我的居室，同坐在地板上面——朝鮮人席地而坐，席地而寢，還存着我們古代的遺風。尹媽取了封書信來，我接在燈下看是：

「母親！兒今放羊回家，在這羊欄旁邊，拾得一封書信，明明是父親遺失的。因為是已經開了封，兒便把那內容取來一看——呀！母親！兒不看猶可，看了之後，早令兒魂飛魄散！

母親！兒今已決意救我子爵一黃婿一父親。兒不忍我父親犯出這樣大不義的罪名。兒想父親定已來在寺中，兒却四處尋之不得。母親！兒想此事聲張出來，不僅父親一人的攸關。兒今夜裏要在寺中巡邏，能私下的把父親嚇退，最為上策。

母親！倘若兒萬一是死了的時候，母親！你切莫悲哀！兒想生為亡國之民，倒不如早死為快。

母親！時間已迫，不能多寫。密書閱後，請

128

火化之！抽屜中有日記二冊請交芙妹惡存。

兒子英跪稟」

另外還有一封是：

「石虎鑒，

十日不得見矣。君可於今夜來寺，我在房中
內應，能一網打盡最好。詩箋一張，明明是
首反詩，成功之后，快拿到長安寺中憲兵隊
去自首，有此一詩，便是贖身的符籤，急切
勿誤！　　　　　　閔李氏六月十一日」

「炎陽何杲杲，晒我山頭苗。土崩苗已死，炎
陽心正驕，安得后羿弓，射汝落海濤。安得
魯陽戈，揮汝下山椒。羿弓魯戈不可求，淚
流成血洒山丘。長晝漫漫何時夜，長恨漫漫
何時休。

怨日行　　　　大韓遺民閔崇華揮汗書」

尹媽等我一一看完，帶着一種很沉抑的聲音
向我說道：

「這其中的情節，客人！你可是明白了。——我那英兒，他便在那年六月十一的晚上（朝鮮人便是現在也大概是用陰歷）死的。那天午飯過後來了一位靜安寺的沙彌，面交石虎書信一封。石虎隨卽出門去了。我只以爲是子爵有事叫他，等到半夜過後，他總跟跟蹌蹌跑了回來。不多一刻，又聽得有人叫門。我出去打開看時，兩個寺僧向我叫道：

『尹媽媽！不好了！你的令郎被人殺了！』

我聽了這最后一聲，便如晴天裏一個霹靂，石虎他也像聽見了；從房裏跳了出來，叫着『殺錯了！殺錯了！』飛也似的跑出了門去，我也一直跑到靜安寺去了。我先到英兒的住房裏去，看見棹上有一封信，上寫着『母親親啓——子英』六個字，我把來抄入懷中；忙朝人聲嘈雜處跑去。待我找到英兒的時候，只見他滿臉都是血；他的心窩兒早已冰冷。我立卽昏倒了去，不省人事。

我醒來的時候，已是晴天白日。我疑我做了

129

個惡夢。待我定睛一看，我纔睡在佩芙小姐的房裏。小姐坐在我的旁邊，已哭得兩眼通紅。我纔傷心痛哭起來。我待要起身，我的四肢手足纔同癱了的一般，再也不能動顫。小姐見我甦醒了轉來，忙俯身來安慰我。我越法傷心，小姐也哭倒在我的身旁。

不多一刻，子爵夫婦走進房來。子爵說道：『英兒不能不就殮了。石虎總不見個影兒。』

我聽了，纔知道他並不曾來寺。我忽然纔記起英兒的遺書來；請小姐從我懷中取出，遞上子爵。子爵折開看時，另外還有一封落出——便是那李氏夫人的密書了。李氏夫人隨卽走了出去。等子爵把英兒的遺書讀完了之後，佩芙小姐也走了出去。我想來他定是去取日記的了，後來到果也猜着。李氏夫人的密書，我不曾火化得，顚轉請子爵看了。子爵氣上加氣，是不消說的。子爵悶了好半天，叫了幾聲英兒哭道：『我只望早早成人。好替國家出力；誰知你纔替我父女而死。

131

！我還有甚麼心腸，再………？」

子爵說猶未了，佩荑小姐從外跑了進來；報說李氏夫人在英兒房中自殺了！」

（五）

燈心將盡，慘淡不明。尹媽抽簪挑燈，息了一會，再往下說道：

「李氏夫人同英兒的墳墓，都在靜安寺中。我在寺裏足足睡了七日，到也漫漫的好了起來。我那石虎他自從那晚去後，便永無消息，不知他到底是瘋了，還是死了。我好了起來，本想留在寺中服侍子爵和小姐，是子爵萬分不肯。子爵已經落髮為僧。倒虧得佩荑小姐立意留在寺中，一面侍奉晨昏，一面又把英兒生前所看管的羊羣，一手領承看管。客人！這便是我那佩荑小姐親自牧羊的緣故了。你說可憐不可憐呢？小姐常對我說，自從英兒死後，大小羊兒，總是不肯十分進食。幾年之內，早已死了一多半了。羊兒每死一匹，小姐總要傷心一場，還要在英兒的墓旁，替牠

132

作一座羊塚。我想我那英兒，他在九泉之下，定會不十分寂寞呢。」

（六）

聽了尹媽一夕話，翻來覆去的，再也不能睡熟。好容易纔一合眼，恍惚我的身子已在靜安寺中。寺中果有尹子英的坟墓。墓前有道墓碑，上題「慈悲院童男尹子英之墓」十字。恍惚墓的周圍，果有無數的羊塚。又恍惚我日間所見的那佩英小姐正跪在墓前哀禱。——

坟墓全景，突然變成一座舞蹈場！場之中央，恍惚有對妙齡男女裸身歌舞。兩人的周圍恍惚有許多羊兒也人立而舞。又恍惚還有許多獅兒，豹兒，虎兒，……也在裏面。——

恍惚之間。突然來了位矮小的兇漢，向着我的腦壳，颼的一刀便斫了下來！我「啊」的一聲驚醒轉來，出了一身冷汗；摩摩看時，算好到不是血液。燈亮已息了，只可恨天尚未明。我盼不得早到天明，好拜辭了尹媽而去。似這樣斷腸地

183

方，傷心國土，誰還有鐵石心腸，再能躭住片時半刻呢？

　　這篇小說是民國七年二三月間做的，在那年的「新中國」雜誌第七期上發表過。概念的描寫，科白式的對話，隨處皆是；如今隔了五年來看當然是不能滿足。所幸其中的情趣尚有令人難於割捨的地方，我把字句標點的錯落處加了一番改正之外，全盤面目一律仍舊，把她收在這兒——怪可憐的女孩兒嚩，你久淪落風塵了！

　　　　　十一年十二月二十四日夜誌此。

134

殘　　春

（一）

壁上的時鐘敲打着四下了。

博多灣水映在太陽光下，就好像一面極大的分光鏡，畫分出無限層彩色。幾隻雪白的帆船徐徐地在水上移徙。我對着這種風光，每每想到古人扁舟載酒的遺事，恨不得攜酒兩瓶，坐在那明帆之下盡量傾飲了。

正在我凝視海景的時候，樓下有人扣門，不多一刻，曉芙走上樓來，說是有位從大阪來的朋友要面會我。我想我倒有兩位同學在那兒的高等工業學校肄業。一位姓黎的已經回了國，還有一位姓賀的我們素常沒通過往來，怕是他來訪我來了。不然，便會是日本人。

我隨同曉芙下樓，遠遠瞥見來人的面孔，他

縱不是賀君，但是他那粉白色的皮膚，平滑無表情的相貌，好像是我們祖先傳來的一種烙印一樣，早使我知道他是我們黃帝子孫了。並且他的顏面細長，他的隆準占據中央三分天下有其二的疆域，他洋服的高領上又還露出一半自由無傾的蛞蝓，所以他給我的第一印像，就好像一隻白色的山羊。待我走到門前，他遞一張名片給我。我拿到手裏一看，恰巧縱是「白羊」兩字，倒使我幾乎失聲而笑了。

白羊君和我相見後，他立在門次便向我說道：

『你我雖是不曾見過面，但是我是久已認得你的人。我的同學黎君，是你從前在國內的同學，他常常談及你。』

幾年來不曾聽見過四川人談話了，聽着白羊君的聲音，不免隱隱起了一種戀鄉的情趣。他又接着說道：

『我是今年纔畢業的，我和一位同學賀君，他也是你從前在國內的同學，同路歸國。』

136

『賀君也畢了業嗎？』

『他還沒有畢業。他因為死了父親，要回去奔喪。他素來就有些神經病，最近聽得他父親死耗，他更好像瘋狂了的一般，見到人就磕頭，就痛哭流涕，我們眞是把他沒法。此次我和他同路回國，他坐三等，我坐二等，我時常走去看顧他。我們到了門司，我因為要買些東西，我便一個人上岸去了。留他一人在船上。等我回船的時候，我纔曉得他跳了水。』

『哦！跳了水！』我吃驚地反問了一聲。

白羊君接着說道：『倒幸好有幾位水手救起了他，用撈鉤把他鉤出了水來。我回船的時候，正看見他們在岸上行人工呼吸，使他吐水，他倒漸漸地甦醒轉來了。水手們向我說，說他跳水的時候，脫了頭上的帽子，高舉在空中畫圈，口中叫了三聲萬歲，便撲通一聲跳下海裏去了。』白羊君說到他跳水的光景還用同樣的手法身勢來形容，就好像逼眞地親眼見過來的一樣。

『但是船醫來檢驗時，說是他熱度甚高，神經非常興奮，不能再遠洋航海，在路上恐不免更有意外之虞。因此我纔決計把他抬進就近的一家小病院裏去，我的行李通同放在船上，我也沒有工夫去取，便同他一齊進了病院了。入院已經三天，他總是高熱不退，每天總在攝氏四十度上下，說是尿裏又有蛋白質，怕是肺炎，腎臟炎，睪炎併發了，所以他是命在垂危。我在門司又不熟，很想找幾位朋友來幫忙。明治專門學校的季君我認得他，我不久要寫信去。他昨天晚上又說起來，說是「能得見你一面，便死也甘心，」所以我今天纔特地跑來找你。』

白羊君好容易纔把來意說明了，我纔請他同我上樓去坐。因爲往門司的火車要六點多鐘纔有，我們更留着白羊君吃了晚飯再同去，曉芙便往灶下去弄飯去了。

好像下了一陣驟雨，突然晴明了的夏空一樣，白羊君一上樓把他剛纔的焦灼，忘在腦後去了

138

。他走到窗邊去看望海景，極口讚美我的樓房。他又踱去踱來，看我房中的壁畫，看我壁次的圖書。

　　他問我：『聽說你還有兩位兒子，怎樣不見呢？』

　　我答道：『隣家的媽把媽他們引到海上玩耍去了。』

　　我問他：『何以竟能找得我的住所？』

　　他答道：『是你一位同學告訴我的。我從博多驛下車的時候，聽說這兒在開工業博覽會，我是學工的人，我便先去看博覽會來，在第二會場門首無意之間繾遇着你一位同學，我和他同過船，所以認得。是他告訴了我，我照着他畫的路圖找了來。你這房子不是南北向嗎？你那門前正有一眼水井，一座社神，並且我看見你樓上的棹椅，我就曉得是我們中國人的住所了。（日本人一般不用棹椅。）不是你同學告訴我的時候，我還會到你學校去問呢。』

139

　　我同他打了一陣閑話。我告了失陪，也往樓
去帮曉芙弄飯去了。

（二）

　　六點半鐘的火車已到，曉芙攬着一個兒子，
抱着一個兒子，在車站上送行。車開時，大的一
個兒子要想跟我同去，便號哭起來，兩隻脚兒在
月台上蹴着如像踏水車一般。我便跳下車去，抱
着他接吻了一囘。又跳上車去。車已經開遠了，
母子三人的身影還佇立在月臺上不動。我向着他
們不知道揮了多少囘數的手，等到火車轉了一個
大灣，他們的影子總看不見了。火車已飛到海岸
上來，太陽已西下，一天都是鮮紅的霞血，一海
都是赤色的葡萄之淚。我囘過頭來，看見白羊君
脫帽在手，還在向車站方面揮舉，我禁不着想起
賀君跳海的光景來。

　　—— 可憐的是賀君了！我不知道他爲甚麼要
跳海，跳海的時候，爲甚麼又要脫帽三呼萬歲。

140

那好像在這現實之外有甚麼眼不能見的「存在」在誘引他，他好像 Odysseu 聽着 Sirens 的歌聲一樣。

——我和我的女人，今宵的分離，要算是破題兒第一夜了。我的兒子們今晚睡的時候，看見我沒有回家；明朝醒來的時候，又看見我不在屋裏；怕會疑我是被甚麼怪物捉了去呢。

——萬一他是死了的時候，那他眞是可憐！遠遠到得海外來，最終只是求得一死！……

——但是死又有甚麼要緊呢？死在國內，死在國外，死在愛人的懷中，死在荒天曠野裏，同是閉着眼睛，走到一個未知的世界裏去，那又有甚麼可憐不可憐呢？我將來是想死的時候，我想跳進火山口裏去，怕是最痛快的一個死法。

——他那悲壯的態度，他那凱旋將軍的態度！不知道他願不願意火葬？我覺得火葬法是最單純，最簡便，最乾淨的了。

——兒子們怕已經回家去了，他們回去，看見一樓空洞，他們會是何等地寂寞呢？……

　　默默地坐在火車中，種種想念雜然而來。白
羊君坐在我面前癟澀着嘴唇微笑，他看見我在看
他，便向我打起話來。

　　他說：『賀君真是有趣的人，他說過他自己
是「龍王」呢。』

　　『是怎麼一回事？』

　　『那是去年暑假的時候了，我們都是住在海
岸上的，賀君有一天早晨在海邊上捉了一個小魚
回來，養在一個大碗裏面，他養了不多一刻，又
拿到海裏去放了，他跑來向我們指天畫地的說，
說他自己是龍王，他放了的那匹小魚，原來是條
龍子。他一放了下去，他一放了下海去，四海的
魚鱗都來朝賀來了。我們聽了好笑。』

　　『恐怕他在說笑話罷？』

　　『不然，他諸如此類瘋癲識倒的事情很多。
他是有名的吝嗇家，但是他却肯出多少子錢去買
許多畫幅，裝飾得一房間都是。他又每每任意停
一兩禮拜的課，我們以為他病了，走去看他時，

142

他總在關着門盡盡。』

　　『他這很像是位天才的行徑呢！』我驚異地說了，又問道：『他盡的盡究竟怎麼樣？』

　　白羊君說道：『我也不曉得他的好歹，不過他總也有些特長，他無論走到甚麼名勝地方去，他便要檢些石子和蚌壳囘來，在書案上擺出那地方的形勢來做裝飾。』

　　白羊君愈見談出賀君的逸事來，我愈覺得他好像是位可以驚異的人格。我們從前在中學同學的時候，他在下面的幾班，我們不幸也把他當着弱小的低能兒視了。我們這些只曉得穿衣吃飯的自動木偶！爲甚麼偏會把異於常人的天才，當成狂人，低能兒，怪物呢？世間上爲甚麼不多多產出一些狂人怪物來喲？

　　火車已經停止過好幾站了。電燈已經發了光。車中人不甚多，上下車的人也很少，但是紙烟的烟霧，却是充滿了四隅。乘車的人都好像蒙了一層油糊，有的一人占着兩人的座位，側身一倒

便捲臥起來，有的點着頭兒如像在滾南瓜一樣。
車外的赤色的世界已漸漸轉入虛無裏去了。

（三）

Moji! Moji!

門司到了，月臺上叫站的聲音分外雄勢。

門司在九州北端，是九州諸鐵道的終點。我
們若把九州比成一片網脈葉，南北縱走諸鐵道就
譬比是葉脈，門司便是葉柄的結托處，便是諸葉
脈的總匯處。坐車北上的人到此處都要下車，要
往日本本島的，或往朝鮮的，都要再由海路向下
關或釜山出發。

木屐的交響曲！這要算是日本停車場上下車
時特有的現象了。堅硬的木屐踏在水門汀的月臺
上，匯成一片雜亂的噪音，就好像有許多馬蹄的
聲響。八年前我初到日本的時候，每到一處停車
場都要聽得這種聲響，我當時以為日本帝國眞不
愧是軍國主義的楷模，各地停車場覺都有若干馬

144

隊駐箚。

我同白羊君下了車，被這一片音潮，把我們沖到改扎口去。驛壁上的掛鐘長短兩針恰好在第四象限上成一個正九十度的直角了。

出了驛站，白羊君引我走了許多大街和側巷，彼此都沒有話說。最後走到一處人家門首，白羊君停了步，說是到了；我注意一看，是家上下兩層的木造街房，與其說是病院，甯肯說是下宿。只有門外掛着的一道輝煌的長銅牌，上面有黑漆的『養生醫院』四字。

賀君的病室就在靠街的樓下，是間六舖蓆子的房間，正中掛着一盞電燈，燈上罩着一張紫銅色包單，映射得室中光景異常慘淡。一種病室特有的奇臭，熱氣，石炭酸氣，酒精氣，汗氣，油紙氣……種種奇氣的混淆。病人睡在在靠街的窗下。看護婦一人跪在枕畔，好像在替他省派。我們進去時，她點頭行了一禮，請我們往隣接的側室裏去。

　　側室是三鋪蓆子的長條房間，正中也有一盞電燈，靠街窗下有座小小的矮桌，上面陳設有鏡匣和其他杯瓶之類。房中有脂粉的濃香。我們屏息一會，看護婦走過來了。她是中等身裁，纖巧的面龐。

　　——這是 S 姑娘。

　　——這是我的朋友愛牟君。

　　白羊君替我們介紹了，隨着便問賀君的病狀。她跪在蓆上，把兩手疊在膝頭，低聲地說：

　　『今天好得多了。體溫完全平復了。剛纔檢查過一次，只不過七度二分（孤氏三十七度二分之簡略語）。今早是三十八度，以後怕只有一天好似一天的了。只是精神還有些興奮，剛纔纔用了催眠藥，睡下去了。』

　　她說話的時候，愛把她的頭兒偏在一邊，又時時愛把她的眉頭縐成「八」字。她的眼睛很靈活，暈着粉紅的兩頰表示出一段處子的誇耀。

　　我說道：『那真託福極了！我深怕他是肺炎，或

146

者是其他的急性傳染病，那就不容易望好呢。』

　　『真的呢。——倒是對不着你先生，你先生特地邀來，他總服了睡藥。』

　　『病人總得要保持安靜總好。……』

　　白羊君插口說道：『S姑娘！你不曉得，我這位朋友，他是未來的 Doctor,他是醫科大學生呢！』

　　『哦愛牟先生！』她那黑耀石般的眼仁，好像分外放出了一段光彩，『我真喜歡學醫的人。你們學醫的人真好！』

　　我說：『沒有甚麼好處，只是殺人不償命罷了。』

　　『啊啦！』她好像注意到她的聲音高了一些，急忙用右手把口掩了一下，『那有……那有那樣的事情呢。』

（四）

　　辭出醫院，走到白羊君寓所的時候，已經是十一點過了。上樓，通過一條長長的暗道，總走

　　進了白羊的寢室，扭開電燈時，一間四疊半的小房現出。兩人都有些倦意，白羊君便命旅館的女僕開了兩牀舖陳，房間太窄，幾乎不能容下。

　　我們睡下了。白羊君更和我談了些賀君的往事，隨後他的話柄漸漸轉到S姑娘身上去了。他說他喜歡S姑娘，說她本色，說她是沒有父母兄弟的孤人，說她是生在美國，她的父母都是死在美國的，說她是由日本領事館派人送回國的，回日本時纔三歲，由她叔母養大，從十五歲起便學做看護婦，已經做了三年了，說她常常說是肺尖不好，怕會得癆症而死……他還說許多話，聽到後來我漸漸糢糊，漸漸不能辨別了。

　　門司市北有座尖銳的高峯，名叫筆立山，一輪明月，正高高現在山頭，如像向着天空倒打一個驚嘆的符號（！）一樣。我和S姑娘徐徐步上山去，俯瞰門司全市，魚鱗般的屋瓦，反射着銀灰色的光輝。亦間關海峽與晝間繁湊的景像迥然改觀，幾隻無烟的船舶，如像夢中的鷗鷔一般，浮在水

148

上，燈火明迷的彥島與下關海市也隱隱可見。山東北露出一片明鏡般的海面來，那便是瀨戶內海的西端了。山頭有森森的古木，有好事者樹立的一道木牌，橫寫着「天下奇觀在此」數字，有茶亭酒店供遊人休息之所。

我和S姑娘登上山頂，在山後向着瀨戶內海的一座茶亭內坐下，對面坐下。賣茶的媽媽已經就了寢，山上一人也沒有，除去四山林木蕭蕭之聲，甚麼聲息也沒有。S姑娘的面龐不知道是甚麼緣故，分外現出一種蒼白的顏色，從山下登上山頂時，彼此始終無言，便是對坐在茶亭之中，也是互相默默。

最後她終耐不過岑寂，她把她花蕾般的嘴唇破了：『愛牟先生，你是學醫的人，醫治肺結核病，到底有甚麼好的方法沒有？』說時聲音微微有些震顫。

『你未必便有那種病症，你還要寬心些的好呢。』

『我一定是有的，我夜來每肯出盜汗。我身體漸漸消瘦，我時常無端地感覺倦怠，食慾又不進，並且每月的……』說到此處她忍着不說了，我揣想她必定是想說月經不調，但是我也不便追問。我聽了她說的這些症候，都是肺結核初期所必有的，更加以她那腺病質的體格，她是得了這種難治的病症斷然無疑，但是我也不忍斷言，使她失望。只得說道：

『怕是神經衰弱罷，你還該求個高明的醫生替你診察。』

『我的父母聽說都是得的這種病症死的，是死在桑佛朗西司戈。我父母死時，我纔滿三歲，父母的樣子我不記得了，我只記得一些影子，記得我那時候住過的房屋，比日本的要宏壯得許多。這種病症的體質，聽說是有遺傳性的。我自然是不埋怨我的父母，我就得……早死，我也好……少受些這人世的風波。』她說着說着，便掩泣起來，我也暗暗傷心，無法可以安慰她的哀切。

159

沈默了半晌，她又說道：

　　『我們這人，真是有些難解，譬如佛家說：
「三界無安，猶如火宅」，這個我們明明知道，但
是我們對於生的執念，却是日深一日。就譬如我
們嗑葡萄酒一樣，明明知道醉後的苦楚，但是總
不想停杯。……愛牟先生！你直說罷！你說，像
我這樣的廢人，到底還有生存的價值沒有呢？…
…』

　　『好姑娘，你不要過於感傷了。我不是對着
你奉承。像你這樣從幼小而來便能自食其力的，
我們對於你，倒是慚愧無地呢！你就使有甚麼病
症，總該請位高明的醫生診察的好，不要空自担
憂，顚轉有害身體呢！』

　　『那麼，愛牟先生，你就替我診察一下怎麼
樣？』

　　『我還是未成林的筍子呢（日本稱庸醫爲竹
籤）！』

　　『啊啦，你不要客氣了！』說着便緩緩地袒

出她的上半身來，走到我的身畔。她的肉體就好像大理石的雕像，她斜着的兩肩，就好像一顆剝了殼的荔荽，胸上的兩個乳房微微向上，就好像兩朵未開苞的薔薇花蕾。我忙立起身來讓她坐，她坐下把她一對雙子星，圓睜着望着我，我擦暖我的兩手，正要去診打她的肺尖，白羊君氣喘吁吁地跑來，向我叫道：

『不好了！不好了！愛牟！愛牟！你還在這兒逗留！你的夫人把你兩個孩兒殺了！』

我聽了魂不附體地一溜烟便跑回我博多灣上的住家。我纔跑到門首，一地都是幽靜的月光，我看見門下倒睡着我的大兒，身上沒有衣裳，全胸部都是鮮血。我渾身戰慄着把他抱了起來。我又回頭看見門前井邊，倒睡着我第二的一個小兒，身上也是沒有衣裳，全胸部也都是血液，只是四肢還微微有些蠕動，我又戰慄着把他抱了起來，我抱着兩個死兒，在月光之下，四處竄走。

『啊啊！啊啊！我縱使有罪，你殺我就是了

152

！爲甚麼要殺我這兩個無辜的兒子？啊啊！啊啊！這種慘劇是人所能經受的嗎？我爲甚麼不瘋了去！死了去喲！』

我一面跑，一面亂叫，最後我看見我的女人散着頭髮，披着白色寢衣跨在樓頭的扶欄上向我罵道：

『你這等於零的人！你這零小數點以下的人！你把我們母子丟了，你把我們的兩個兒子殺了，你還在假猩猩地作出慈悲的樣子嗎？你想死，你就死罷！上天叫我來誅除你這無賴之徒！』

說着，她便把手中血淋淋的短刀向我投來，我抱着我的兩個兒子，一齊倒在地上。——

蒸醒轉來，我依然還在抽氣，我渾身都是汗水，白羊君的鼾聲，隣室人的鼾聲，遠遠有汽笛和車輪的聲響，我把白羊君枕畔的錶來看時，已經四點三十分鐘了。我睡着清理我的夢境，依然是明明顯顯地沒有些兒糢糊。啊！這簡直是Med-ea 的悲劇了！我再也不能久留，我明朝定要回去

！定要囘去！

（五）

旅舍門前橫着一道與海相通的深廣的石濠，濠水作深靑色，幾乎要與兩岸齊平了。濠中有木船數艘，滿載石炭，徐徐在水上來往。淸冷的朝氣還在市中蕩漾；我和白羊用了早餐之後，要往病院裏去。病院在濠之彼岸，我們沿着石濠走去，渡過濠上石橋時，遇着幾位賣花的媽媽，我便買了幾枝白色的花菖蒲和紅薔薇，白羊君賣了一束剪春羅。

走進病室的時候賀君便向我致謝，從被中伸出一隻手來，求我握手。他說，他早聽見 S 在講，知道我咋晚來了，很說了些對不起的話。我把白菖蒲交給他，他接着把玩了一陣，叫我把來插在一個玻璃藥瓶內。白羊君把薔薇和剪春羅，拿到鄰室去了。

我問賀君的病狀，他說已經完全脫體，只是

154

四肢無力，再也不能起床。我看他的神氣也很安閒，再不像有甚麼危險的症狀了。

白羊君走過側室去的時候，只聽得 S 姑娘的聲音說道：

『哦，送來那麼多的好花！等我摘取薔薇來簪在髻上罷！』

她不摘剪春羅，偏要摘取薔薇，我心中隱隱感受着一種勝利的愉快。

他們都走過來了。S 好像纔梳好了頭，她的髻上，果然簪着一朵紅薔薇。她向我道了早安，把三種花兒分插在兩個玻璃瓶內，呈一種非常愉快的臉色。Medei 的劇悲却始終在我心中來往，我不知道她昨晚上做的是甚麼夢。我看見賀君已經復元，此處已用不着我久於勾留，我也不敢久於勾留了。我便向白羊君說，說我要乘十點鐘的火車回去。他們聽了都好像出乎意外。

白羊君說：『你可多住一兩天不妨罷。』

S 姑娘說：『怎麼纔來便要走呢？』

　　我推諉着我學校有課，並且在六月底有試驗，所以不能久留。他們總苦苦勸我再住一兩天，倒是賀君替我解圍，我終得脫身走了。

　　午前十點鐘，白羊君送我上了火車，彼此訣別了。我總覺得遺留了甚麼東西在門司的一樣，心裏總有些依依難捨。但是我一心又早想回去看我的妻兒，火車行動中，我時時把手伸出窗外，在空氣中作舟楫的運動，想替火車加些速度。好容易火車到了，我便飛也似地跑回家去，但是我的女人和兩個兒子，都是安然無恙。我把昨夜的夢境告訴我女人聽時，她笑着，說是我自家虛了心。她這個批評連我自己也不能否定。

　　回家後第三天上，白羊君寫了一封信來，信裏面還裝着三片薔薇花瓣。他說，自我走後，薔薇花兒漸漸謝了，白菖蒲花也漸漸枯了，薔薇花瓣，一片一片地落了下來，S姑娘教他送幾片來替我作最後的訣別。他又說，賀君已能行步，再隔一兩日要便起身回國了，我們只好回國後再見

156

。我讀了白羊君的來信，不覺起了一種傷感的情懷。我把薔薇花片挾在我愛讀的 Shelley 詩集中我隨手寫了一張簡單的明片寄往門司去：

『謝了的薔薇花兒，

一片兩片三片，

我們別來總不過三兩天，

你怎麼便這般憔悴？

啊，我願那如花的人兒：

不也要這般的憔悴！』

十一年四月一日脫稿

今 津 紀 遊

一

『不識廬山眞面目，只緣身在此山中。』

我們人類好像都有種騖遠性。當代的天才，每每要遭世人白眼。意大利詩聖但丁`，生時見逐於故國，流離終老，死後人始爭以得葬其骸骨爲地方之榮。俄國文豪杜斯妥逸夫司克，生時亦受盡流離顚沛窘促之苦，死後國人始爭爲流涕以盡哀。這種要算是時間上的騖遠性了。空間上的騖遠性，我把我自己來舉個例罷。我是生長在峨眉山下的人，在家中過活了十多年，却不曾登攀過峨山一次。如今身居海外，相隔萬餘里了，追念起故鄉的明月，渴想着着山上的風光，昨夜夢中，竟突然飛上了峨眉山頂，在月下做起了詩來。

不再扯遠了。我來福岡市，已經將近四年。此地的博多海灣，是六百四十年前，元軍第二次

158

東征時全軍覆沒的地點。當時日人在博多沿岸，各處要隘之地築壘抵禦。九年前在東京一高聽講日本歷史的時候，早聽說福岡市西今津地方，尚有一片防壘殘存，為日本歷史上有名的史蹟。當時早恨不得飛到今津去踏訪，憑弔蒙古人「馬蹄到處無青草」的戰地。

我在民國二年年末初到日本的時候，是由火車穿過萬里長城從朝鮮渡海而來。火車過山海關時，我在車中望見山上蜿蜒着的城壘，早曾嘆服古人才力之偉大，而今人之碌碌無能。後日讀 P. Remer 氏所著德國近代人利林克龍 (Lilicenron) 傳，叙他晚年在北海配爾屋牟島 (Pellworm) 上做堤防總督的時候，每在暴風咆哮的深夜，定然在高堤上，臨風披襟，向着洶湧的狂濤，高叫出他激越的詩調。我受了他這種凱旋將軍般的態度之感發，我失悔我穿過萬里長城的時候，何不由山海關下車，登高壯觀，招弔秦皇蒙恬之魂魄？我至今還在渴想……唉！這也算是一種鶩遠性的適例了，

我在福岡住了將近四年，守着有座「元寇防壘」在近旁，我却不曾去憑弔過一囘，又在渴想着踏破萬里長城呢？

元寇防壘，日人所高調讚獎的「護國大堤」，我的想像中以爲定可以與我國的萬里長城墙伯仲。守此而不登，豈不是爲遺性之誤人嗎？

二

今晨八點鐘，早早跑上學校裏去，不料第一點鐘的內科講義總是休講，好像是期待着要搭乘的火車，突然遲延了一樣，我顛轉沒有法子來把這一點鐘空時間消遣。我沒精打彩地走進圖書館，把一兩禮拜前的新聞紙隨手翻閱，覺得太無聊了。我想起今日的課程，都是不願意上的，只有午後兩點鐘以後的檢眼實習是不能不出席，我何不走到個甚麼地方去，利用我這半日的光陰，或者我親愛的自然，還會賜我以許多的靈感。

市外的西公園，自從前三月田壽昌來訪我時

169

，我們曾同去遊逛過一次以來，我已兩年不去了。雖然不是開櫻花的時候，園內有些梅花，定已漸漸開放，並且在這樣晴好的天氣中，坐在那園中高處，看望太陽光下的海波，也正是無上的快心樂事。不錯，我便往西公園去罷！我纔一動念，我的兩腳已把個挾着書包的我運出了校門。我竟成為電車的乘客了。

電車西行，有三十分鐘的光景，到了西公園。我下車徐徐向園門步去。別的同學都是挾着書包向着東行，我一人却是挾着書包向着西走，我又穿的是制服，戴的是制帽，行路的人好像都在投一種詫異的眼光向我。我不是磨房的馬，定要瞎着眼睛受人驅使嗎？你們難道不要我有自由意志！懷着一種無謂的反抗心，我還沒有走到園門，鶩遠性突然又抬起頭來。西公園離今川橋只有一區的電車，到了今川橋，再坐幾站輕便火車，便可以達到今津。走熟了的地方有甚麼意思嗝？元寇防壘！護國大堤！蒙古人馬蹄到處無青草的

古戰場：去罷！去罷！去學利林克龍披襟怒吼！

我又坐上了電車去了。沒有幾分鐘的光景，電車已經到了終點。我從今川橋下車，往輕便鐵道的驛站——名目雖叫驛站，但只是街面上的一家舖口代辦的——上去買車票。我檢查我的錢包，只有五十錢（一錢合我國銅元一枚）的一張紙幣。

——往今津的車票要多少錢？

——要二十四錢。

——請把一張來回票給我。

——要四十八錢。

我把紙幣給了賣票的，他把了十六區的車票給我，找了我兩個銅板。原來輕便火車的車票，也還是同市內電車的一樣，是分區零買的。他指示着車票上的站名向我說：從此處到今宿，是八站路，一站四錢，從今宿再坐渡船纔能到今律。

我問：渡船錢要多少？

他說：要三錢，

162

　　我聽着吃了一驚，我手中只有兩個銅板了，今天的計畫，不是完全歸了水泡嗎？我急忙在衣包中收尋，另外又總尋出一個五錢的白銅小幣。啊，好個救星！這要算是在砂漠中絕了水的商隊，突然遇着了Oasis（砂漠中舊腴之地）了！驛站中待車的人很多，火車要到十點鐘的時候總能開到。

　　日本人說到我們中國人之不好潔淨，說到我們中國街市的不整飭，就好像是世界第一。其實就是日本最有名的都會，除去幾條繁華的街面，受了些西洋文明的洗禮外，所有的側街陋巷，其不潔淨不整飭之點也還是不愧爲東洋第一的模範國家。風雨便是日本街道的最大仇人。一下雨，全街都是泥淖淋漓，一颳風，又要成爲灰塵世界。又聰明又經濟的日本國民常常擲些細碎的石子來面在街上，利用過往行人的木板拖鞋作爲碾地機的代用。隔不許久，石子又要變成了灰塵，又要變成了泥醬了。驛前的街道，正是石子專橫的

時代。街心的四條鐵軌，差不多要埋沒在泥土中了。街簷下的水溝，水積不流，昏白色的臭水中含混着銅綠色的水垢，就好像消化不良的小兒的糞便一樣。驛旁竟公然有位婦人在水溝上搭一地攤，攤上堆一大堆山楂，婦人跪在地上燒賣。這種風味，恐怕全世界中，只有五大强國之一的日本國民總能領略了。

坐在站中，望着外面雜踏喧鬧的街市，無端地發起了這段敵愾心來，中日兩國互相輕蔑的心理，好像成了慢性的疾患，真是無法醫治呢。

人總是不宜好的動物。金錢一富裕的時候，總要湧出些奢侈慾望來。我無意識中又在一個衣包之內搜出了一張五十錢的紙幣，我好像立地成了位大富翁一般。火車輪船要運轉時，煤烟是不可缺少的原動力，人要去旅行時，紙烟也當然不可缺少。我便花了八個銅板，買了一匣紙烟，一匣洋火，便在驛站中吹雲吐霧起來。可憐吹吐總不上半燮，我的腦天早已昏昏朦朧了。滾蛋罷！

164

我含着幾分可惜的意思，把剩下的半隻紙煙，憤
恨地投在水溝裏去。醜惡的奢侈慾望的屍骸，還
在濁水中燻蒸了一會殘喘。

三

　　小小的機關車，拖了兩乘坐車走來，骯髒的
程度，比上海「大衆可坐」的三等電車，恐怕還
要厲害。車中擁擠得不堪，如像纔開封的一匣洋
火。我上車得早，在一隻角上幸好尋得了一個座
位，但可恨不客氣的一位鄉下人，竟來加上楔頭
，坐到我左腳的大腿上，我好像楚項羽陷入垓下
的重圍；就使有拔山之力，也只好徒喚奈何了。

　　汽笛放起貓叫聲，火車已經開動起來。

　　過了一個葶車場，兩面的街市，已經退盡，
玻窗外開展出一片田野，田地尚多裸身，有的已
種麥苗，長已四五寸了。遠山在太陽光中燃燒，
又好像中了酒的一樣。太陽隔窗照到我的頸子上
來熱騰騰地。車上坐的多是職工中人，指點沿線

的各處小小的工場，和着車輪的噪音，高談闊論，可惜談吐多不可辦。

又過了兩個停車場，車上漸漸稀疏了。到了一個小小的村落，村前竟公然有座電影戲館，戲目的帘子立在館前，怪刺目地掛着種種看板盡。出村，車入松林中。檢看票上站名，知是「生之松原」。松原一面沿海，從樹幹間可以看出青青的海色，點點的明帆，昏昏的島影。我心中也生出了幾分旅行的興趣。背海一面，樹甚深遠，只除無數退走的樹幹外，別無所見。在這種晴和的天氣，能偕個燕婉的女友，在那松林中散步談心，怕更會是件無上的快心樂事了。

林中車行十多分鐘的光景，走出海岸上來了。海水一片青碧，海天中有幾隻白鷗，作種種崚險的無窮曲線，盤旋飛舞。有的突然飛下海面，掠水而飛，飛不多遠，又突然盤旋到空中消去。

火車到了今宿站。

我從今宿下車，問明了渡船的所在。從今宿

166

市中穿過，又向西走入一松林中，松林無人，陽光洒地，可惜沒有燕婉的佳伴偕行，只有我自己的影兒在隨着我走。啼鳥在空中清囀。走過松林，又走到一小小村落，街簷下有些中年以上的婦人，席地，坐在太陽光中縫紙。出村，又走到海岸上來，臨海一家擺渡人家靜立在一座淺峯之下。渡船已開，我只得坐在岸上等待。渡家中的時鐘，已經十一點過了。時間不可不利用，我早就受了自然的窘迫的要求，我不得不在這個時間內應命了。我便轉入渡家後的廁所中去。

我蹲在廁所中，一面應着自然的要求，一面想起前兩天 B 君向我所說的南洋的風俗談來 —— B 君喲！我在這種地方追念起你來，你恕我的這個大大的失禮了罷！

B 君說：南洋地方大小便所，都是立在河邊，放出的大小便聽着流水冲去。日本人的便房叫「河屋」（Kawaya），這正是日本民族南來的一個證明。

廁所中有許多猥褻的壁畫，這是日本全國廁所中的通有現象。善於保存壁畫的日本史學家喲！這種無名的戀愛藝術家的表現藝術，於民族風俗史上，也大有保存的必要呢！

無端中又得出一個戀愛的定義來：

『戀愛者何？是一種自然的要求，如像大小便一般，不得不逼人去走骯髒的所在者也。』

笑話！笑話！在這壁畫蔚然的「藝術之宮」再沉吟得一刻的時候，渡船怕又要開了呢！

四

今津是在系島郡上。系島原來不是海島，是與陸地相連。渡船在海灣中過渡，海水異常清澈，好像是西子湖水一樣。因為沒有帶張地圖來，上了岸後，竟把地方走錯。問了多少行人，走了多少枉路，我總走到了今津。今津村上也怕有兩三百戶人家，我在村中旋來旋去，只想朝外海邊走，却只在村中打盤旋：最後走到一家賣花郵片

168

的舖店門口，我便買了幾張今津史蹟的花郵片，有一張是「勝福寺的蟠龍松」，有一張是「元寇殲滅碑」，有一張就是「元寇防壘」了。我見了元寇防壘的繪片，我不禁大失所望。啊！這就是「譏國的大堤元寇防壘」了嗎？一條亂雜的矮矮石堤在我國鄉村中溝道兩旁隨處都可以尋出。縱使有真正的利林克龍走來，站在這種大堤上，恐怕也吼不出甚麼激越的詩調來了。

店主人為我指示勝福寺的所在，近在店旁，叫我去看蟠龍松。

蟠龍松是幾百年前的古物，今年正月間日本政府有指定為天然記念物的消息。關於此樹，有一浪曼諦克的口碑流傳。說是六百年前征夷大將軍足利尊氏（Ashikaga Takauchi）來在九州的時候，仰慕勝福寺開山臨濟宗大覺禪師盛名，親來拜訪。禪師旁乃有一窈窕的嬋娟侍坐。尊氏大驚，怒罵禪師品性惡劣。禪師自若，而美人慚憤，跳入庭前池水中，化為大蛇，蟠松而逝。

169

　　外史氏曰：迂哉！迂哉！足利尊氏也！不知色即是空，空即是色。

　　迂哉！迂哉！侍側之美人也！不知種種聲聞，都如泡影。

　　這種無稽的傳說，總覺有種葱蘢的詩意，引人入魔，但是我守着皎皎的太陽當頭，護國的大堤還不曾到眼，午後兩點鐘起還有檢眼實習，我沒有在夢境中低回的餘假。

　　我謝了店主人的殷勤，出村又穿過一帶松原，我終竟走到我最後的目的地點。松林外沿海一帶砂堤，上有亂石狼藉，我把繪片中的光景同實物比較，我總知道就是所謂「護國的大堤」！冤哉！冤哉！浪曼諦克的鶩遠性之誤人也！但是周遭的自然風物倒還足以償我這半日的足勞。我坐在亂石上，在防曇繪片背面寫了一段印象記來。

　　——堤長不過百丈。堤上狼藉些極不規則的亂石，大者如人胸廓，小者如人頭首。中段自砂中露出之石垣，最高處僅及股臂關節。

170

堤前爲海灣，堤後爲松林，有小鳥在松林中
啼叫。海風清爽。右手有高峯突起如獅頭，樹木
甚蒼翠。

海灣中水色青碧，微有漣漪，志賀島橫陳在
北，海中道一帶白色砂岸，瞭然可見。西北亦有
兩小島，不知名。海灣左右有岩岸環抱，右岸平
削如屏，左有峯巒起伏。正北灣口，海霧濛濛，
中有帆影，外海不可見。天際一片灰色的暗雲，
其上又有一片白色卷層雲，又其上天青如海。

太陽當頭，已是正午時候。

堤前砂岸，淺草蒌黃。有長椭小蟈在日光中
飛繞，無力。

茅屋幾椽，已頹圮，疑是漁人藏舟之處。——

郵片已寫滿了，在那平如明鏡的海上，元艦
四千艘，元軍十萬餘人，竟會於一夜之間，突然
爲暴風所淹沒，不可抗的綜是自然之偉力了。我
又想到了杜牧之詠「赤壁」的一詩。

『折戟沉沙鐵未消，自將磨洗認前朝。

東風不與周郎便，銅雀春深鎖二喬。』

在堤前沉吟了一回，又想於無意中或者也可以尋得一枝沉沙的折戟，折戟雖沒有，倒尋到了一個雪白的大椎骨，左右兩橫突起，開張如蝶翅，上關節突起前面又無肋骨關節面，我斷定牠是牛脊的腰椎骨。這是個絕好的紀遊紀念品了，或者便是元軍載來的水牛殘骨，也說不定。我把來包在書包裏面，又想去登上那右手的獅頭峯。

五

獅頭峯餘勢，當獅體之尾骶上有一段平坦高原，上有一碑，碑題「元寇殲滅之處」五字。碑前有紀名銅柱，上題「大正四年十一月建」。碑下有石欄環繞，周圍有幾處竹欄，各圍邊松一株是些貴族華族的紀遊品。坐石欄上四望，三面均被海水瀠璟，只有防壘後松原的一帶低地幾於與水面齊平，此地在千年之前，當然是絕立的孤島，系島郡之名可以推見。所謂護國的大堤，或者

172

便是防水的水堤，也是不能說定。轉入碑後，碑後亦有「大正四年十一月建」等字樣。

捨碑，向山脊行去，山路高低不平，漸登，氣漸促，喉嗓渴不可耐，失悔來時不曾買些橘子。登山決不是件樂事，以爲怕要到峯頂了，山路一轉，峯頂依然還在上頭。如此屢受欺騙，亦只得鼓舞餘勇而登，熱，汗流，渴，氣促，必搏亢進，筋力疲勞，好像得了心臟病的一樣。山外的風物再也莫有餘暇盼戀。遇山樵數人，新伐的樵木放出一種濃重的木香。將至絕頂，有小小一座神社，壁上掛着許多還願的畫馬。紀遊者的芳名，題滿外壁。在神社前坐息，勇猛的心臟，幾乎要從口中跳了出來。心氣漸漸平復了，我又縱走上獅子頭去。獅頭臨海，古松森森，禿石纍纍，俯瞰海灣，青如螺黛。有漁舟一隻，長僅尺許，有兩人在舟中垂釣。唐人太上隱者有「答人」一詩，

『偶來松下坐，高枕石頭眠。

山中無歷日，寒盡不知年。」

他這第一句，我實際辦到了。第三句，我也實際辦到了，因為我是沒有帶錶來的。但是我的懶惰工夫，却還沒有到高枕無憂忘年忘命的程度。我午後二時起，還有二點鐘的檢恨實習是不能不出席的，我看見日脚偏西，就使有現存的石頭可枕，我的脚也不肯唯唯聽命了。

我正站立起來，打算要走，突然前面垂岩下騰出一種歡呼，使我大吃一驚。上來的是兩個勞動者。他們從我身旁擦身過時，我的心臟還兀兀地在跳。我又起了一種好奇心，決意從那兩個勞動者登上的來路走下山去。路極崎嶇，攀援樹枝而下，路盡處，總又折到來時所過的神社面前，兩個工人已經在那兒休息着了。此次怕他們也不免吃了一驚罷？一人向我乞火，我把火柴給了他。啊，這兩個工人，假使是兩位處子的時候呀，這不是段絕好的佳話嗎？就好像盧梭在安奴西山中與雅麗，恪拉芬至德兩少女邂逅相遇，就好像

174

鄭交甫在江干遇着江妃，那豈不是不枉了我今日的此行了嗎？……

古人說：從善如登，從惡如崩。其實我從登山的經驗上看來，倒是從惡如登，從善如崩了。我此處所謂善惡，不消說是以心境的快不快為標準。人不是那麼容易為惡的，受盡種種良心上的制裁，做出一種惡事，心裏所受的不快，怕與登山時的苦楚無甚增減。偶爾做出一件善事，心裏所生的快感，也怕和這下山時的快感無甚損益。

上山時那麼困苦，幾乎如像害了一場大病；一到下山，就好像在滑冰的一樣，周圍的景色應接不暇，來時的道路亦瞭如指掌，飛飛，飛，我身輕如鳥，聽憑山道的傾斜，把我滑下山來，真是舒服，真是舒服，只可惜喉嚨終是有幾分渴意。

六

取捷徑趨向渡頭，渡船又已開了。在渡頭近旁小店中，買了一瓶荷蘭水。啊，甘露！甘露！

175

瞥眼看見店內的掛鐘，已經是午後二時了，完全
出乎意料之外。早知道這樣，我又何苦那麼着忙
呢？恨不曾往勝福寺內憑弔嬋娟之魂，恨不曾在
獅子山巔高枕石頭一睡！

　　坐店的是一位不滿二十的女子，B君——又
是B君，B君嚇！你恕我不客氣，濫引你的雅言
了！你說：『只要是處子，便是位美人』。不消
說這位坐店的也是美人了。我又向她買了十錢的
餅乾，她稱的分兩，分外足實呢！我說：十錢的
餅乾眞是不少！她微微地向着我笑。

　　有匹黑花的白獅子狗兒坐在街心看我吃餅乾
，好像很有幾分垂涎的意思。我便投了一個給他
，他才兀的驚立起來，哼哼地向我恨了兩聲走了
。他怕把那個餅乾當成了小石子罷？這位獅子狗
兒，我佩服他有些道德家的氣質。打起金字招牌
的道德家者流，突然看見赤裸裸地純眞無飾的藝
術品時，有不反射地唔唔狂吠的嗎？對不住！對
不住！天下的道德家喲！天下的獅子狗兒喲！怨

176

罪，恕罪！

　　午後的海水，又是一般氣象了。好像圓熟了的藝術家的作品，激越的動搖，烘騰的氣勢雖然沒有，但總有一種沉靜的詩情蕩漾在上面。潮水漸漸消退了。渡船將要到岸時，突然擱起淺來。此時對面又開出一隻渡船，船緣上坐着兩個女子，梳的是最新流行的「七三分」頭，一個披着白色的毛織披肩，一個的是狐皮。她們本是背我坐着的，緊相依傍。她們看見我們的坐船擱淺，都偏過頭來。我的視線同她們覿面相值。啊，這眞是鄭交甫遇着江妃，盧梭遇著雅麗，恪拉芬里德了！要是她們的船擱了淺的時候，我定要跳下水去，就如像盧梭涉水至膝，替雅恪二姑娘牽馬渡溪的一樣，把她們的坐船推勁起走。是夕陽光線的作用嗎？還是她們看破了我的隱意呢？她們的眼眸中總覺得有幾分羞澀的意思。我眞羨慕盧梭！他眞幸福！他替雅恪二姑娘牽馬渡溪之後，被二女慇懃招待，騎在恪姑娘馬後，緊抱着她，同

到初奴別邸燕歡一日。他在花園中攀樹折櫻桃投
向她們，她們又反把枒枝投向樹上去打他。他在
雅姑娘手上親了一吻，雅姑娘也莫有發氣，啊，
幸福的盧梭呀！……

　　船動了！不要再空嘵饞涎了罷！

　　浪漫諦克的夢遊患者喲！淡淡的月輪在空中
發笑了！

　　　　　　　　十一年二月十日

178

月　　蝕

八月二十六日夜，六時至八時將見月蝕。

早晨我們在新聞上看見這個預告的時候，便打算到吳淞去，一來想去看看月亮，二來也想去看看我們久別不見的海景。

我們回到上海來不覺已五閱月了。住在這民厚南里裏面，眞眞是住了五個月的監獄一樣。寓所中沒有一株草木，竟連一坏自然的地面也找不出來。遊戲的地方沒有，空氣又不好。可憐我兩個大一點的兒子瘦削得眞是不堪回想。他們初來的時候，無論甚麼人見了都說是活潑肥胖，如今呢，不僅身體瘦削得不堪，就是性情也變得很乖僻的了。兒童是都市生活的 Barometer，這是我此次回上海來得的一個唯一的經驗。啊！但是，是何等高價的一個無聊的經驗呢！

179

　　幾次想勳身回四川去，但又有些畏途。想到
鄉下去生活，但是經濟又不許可。呆在上海，連
市內的各處公園都不曾引他們去過。我們與狗同
運命的華人公園是禁止入內的，要叫我穿洋服我
已經不喜歡，穿洋服去是假充東洋人，生就了的
狗命又時常同我反抗。所以我們到了五月了，竟
連一次也沒有引他們到公園裏去過。

　　我們在日本的時候，住在海邊，住在森林的
懷抱裏，真所謂清風明月不用一錢買，回想起那
時候的幸福，倍增我們現在的不滿。我們跑到吳
淞去看海，——這是我們好久以前的計劃了，但
只這麼隣近的吳淞，我們也不容易跑去，我們是
太為都市所束縛了。今天我要發誓，我們是定要
去的，無論如何是定要去的了。坐汽車去罷？坐
火車去罷？想在午前去，但又怕熱，改到午後。

　　小孩子們聽說要到海邊，他們的歡喜真比得
了一本新買的畫本時還要加倍。從早起來便預想
起午後的幸福，一天只是跳跳躍躍地，中午時連

180

飯都不想吃了。因爲我說了要到五點鐘纔能去，平常他們是全不關心的時鐘，今天却時時去瞻望，還冀到五點！還冀到五點！長的針和短的針動得分外慢呢！

好容易等到了五點鐘，我們正要準備動身的時候，突然來了一個朋友，我們便約他同去，我跑到靜安寺旁過汽車行裏問問車費。

不去還好了，跑了一趟去問，只駭得我抱頭鼠竄地囘來。說是單去要五塊！來囘要九塊！本是窮途人不該應妄想去做邯鄲夢。我們這裏請的一位娘姨辛辛苦苦做到一個月，工錢纔只三塊半呢！五塊！九塊！

我跑了囘來，朋友勸我不要去。他說到吳淞去沒有熟人，坐火車的時候把鐘點錯過了很麻煩的，况且又要帶着幾個小孩子，上車下車眞是夠當心。要到吳淞時，頂小的一個孩子又不能不帶去。

　　啊，罷了，罷了！我們的一場高興，便被這五塊九塊打壞得七零八碎了！可憐我們等了一天的兩個小兒，白白受了我們的欺騙。

　　朋友走的時候，已經將近七點鐘了。

　　沒有法子走到黃浦灘公園去罷，穿件洋服去假充東洋人去罷！可憐的亡國奴！可憐我們連亡國奴都還夠不上，印度人都可以進出自由，只有我們華人是狗！……

　　滿肚皮的憤慨沒處發洩，但想到小孩子的分上，也只好忍忍氣，上樓去學披件西洋人的鬼皮。

　　我們先把兩個孩子穿好，叫他們到樓下去等着。出了一身汗，套上一件狗穿洞的襯衫。我的女人在穿她自己手製的中國料的西服。

　　——為甚麼，不穿洋服便不能去嗎！她問了我一聲。

　　——不能，穿和服也可以，穿印度服也可以，只有中國衣服是不行的。上海幾處的公園都禁

182

止狗與蓆人入內，其實狗到可以進去，人是不行，人要變成狗的時候便可以進去了。

我的女人她以爲我是在罵人了，她也助罵了一聲：上海市上的西洋人怕都是些狼心狗肺罷！

——我單看他們的服裝，總覺得他們是一條狗。你看，這襯衫上要套一片硬領，這硬領下要結一根領帶，這不是和狗頸上套的項圈和鐵練是一樣的麼？——我這麼一說，倒把我的女人惹笑了。

哈哈，新發見！在我的話剛好說完的時候，我的心中突然悟到了一個考古學的新發見。我從前在甚麼書上看過，說是女人用的環鐲，都是上古時候男子捕擄異族的女子時所用的枷鐐的蛻形；我想這硬領和領帶的起源也怕是一樣，一樣是奴隸的徽章了。弱族男子被强族捕擄爲奴，項帶枷鎖；異日强弱易位，被支配者突然成爲支配者，項上的枷鎖更變形而爲永遠的裝飾了。雖是這樣說，但是你這個考古的見解，却只是一個想像

，恐怕眞正的考古專家一定不以爲然。……然不然我倒不管，好在我並不想去做博士論文，我也不必兢兢於去求出甚麼實證。……

在我一面空想，一面打頷帶結子的時候，我的女人早比我穿好，兩個小孩兒在樓下催促得甚麼似的了。啊，究竟做狗也不容易，打個結子也這麼費力！我早已出了幾通汗，頷帶結終是打不好，我只好敷敷衍衍地便帶着他們動身。

走的時候，我的女人把第三的一個綾滿七個月的兒子交給娘姨還叮嚀了一些話。

我們從赫德路上電車，車到跑馬廳的時候，月亮已經現在那灰青色的低空了。因爲初出土的緣故看去分外的大，顏色也好像落日一樣作橙紅色，第一象限上有一部分果然是殘缺了。

二兒最初看見，他便號叫道：Moon! Crescent Moon! 他還不知道是月蝕，他以爲是新月了。

小時候每逢遇着日月蝕，眞好像遇着甚麼死

184

難的一樣。全村的寺院都擊鐘鳴鼓，大人們也叫我們在家中打板壁作聲響。在冥冥之中有一條天狗，想把日月吃了，擊鐘鳴鼓便是想駭去那條天狗，把日月救出：這是我們四川鄉下的俗傳，也怕是我們中國自古以來的傳說。小時讀的書上，據我所能記憶的說：周禮地官鼓人救日月則詔王鼓，春官太僕也贊王鼓以救日月，秋官庭氏更有救日之弓和救月之矢。穀梁傳上也說是天子救日陳五兵五鼓，諸侯三兵三鼓，大夫擊門，士擊柝。這可見救日月蝕的風俗自古已然。北歐人也有和這絕相類似的神話，他們說：天上有二狼，一名黑蹄(Hati)，一名馬納瓜母 (Managarm)，黑蹄食日，馬納瓜母食月，民間作聲鼓噪以望追去二狼救出日月。

這些傳說，在科學家看來，當然會說是迷信；但是我們雖然知道月蝕是由於地球的掩隔，我們誰又能把天狗的存在否定得了呢？如今地球上所生活着的靈長，不都是成了黑蹄和馬納瓜母，

不僅是吞噬日月，還在互相嚙殺麼？

啊啊，溫柔敦厚的古之人！你們的情性真是一首好詩。你們的生命充實。把一切的自然現像都生命化了。你們互助的精神超越乎人間以外，竟推廣到了日月的身上去。可望而不可及的古之人，你們的鼓聲透過了幾千萬重的黑幕，傳遞到我耳裏來了！

啊，我畢竟昧了我科學的良心，對於我的小孩子們說了個天大的謊話！我說：那不是新月，那是有一條惡狗要把那圓圓的月亮吃了。

二兒的義憤心動了便在電車上叱吒起來：狗兒，走開，狗兒！

大的一個快滿六歲的說：怕是雲遮了罷？

我說：你看，天上一點雲也沒有。

——天上也沒有狗啦。

啊，我簡直找不出話來回答了。

車到了黃浦灘回，我們便下了車，穿過街，

186

走到公園外的草坪裏去。兩個小孩子一走到草地上來，他們真是歡喜得了不得。他們跑起來了，跳起來了，歡呼起來了。我和我的女人找到一支江邊上的橙子上坐下，他們便在一旁競跑。

月亮依然殘缺着懸在浦東的低空，橙紅的顏色已漸漸轉蒼白了。月光照在水面上亮晶晶地，黃浦江的昏水在夜中也好像變成了青色一般。江心有幾隻遊船，滿飾着燈彩，在打銅器，放花礮，遊來遊去地囘轉，想來大約是救月的了。啊，這點古風萬不想在這上海市上也還保存着，但可憐吃月的天狗，緫就是我們坐着望月的地球，我們地球上的狗類真多，銅鼓的震動，花礮的威脅，又何能濟事呢？

兩個孩子跑了一會，又跑來挨着我們坐下：

——那就是海？指着黃浦江同聲問我。

我說：那不是海，是河。我們回上海的時候就在那兒停了船的。

我的女人說：是揚子江？

　　——不是！是黃浦江。只是揚子江的一條小
小的支流，揚子江的上遊便在我們四川的嘉定敍
府等處，河面也比這兒寬兩倍。

　　——唉！她驚駭了，那不是大船都可以走嗎？

　　——是，是可以走，大水天，小火輪可以上
航至嘉定。

　　大兒又指着黑團團的浦東問道：那是山？

　　我說：不是，是同上海一樣的街市，名叫浦
東：因爲是在這黃浦江的東方。你看月亮不是從
那兒昇上來的嗎？

　　——哦，還沒有圓。……那打鑼打鼓放花炮呢？

　　——那就是想把那吃月的狗兒趕開的。

　　——是那樣嗎？嚇喲，嚇喲，…………

　　——趕起狗兒跑罷！嚇喲，嚇喲，…………

　　兩人又同聲么喝着向草地上跑去了。

　　電燈四面輝煌，高昌廟一帶有一最高的燈光
時明時暗，就好像遠海中望見了燈台的一樣。這

188

時候我也並沒有甚麼懷鄉的情趣，但總覺得我們四川的山靈水伯遠遠在招致我。

——我們四川的山水真好，我便自言自語地說了起來：我們不久大概總可以回去。巫峽中的奇景恐怕是全世界中所沒有。江流兩岸對立着很奇怪的巖石，有時候真如像刀削了的一樣。山頭常常戴着白雲。船進了峽的時候，前面看不見去路，後面看不見來路，就好像一個四山環拱的大湖，但等峽路一轉又是別有一洞天地了。人在船上想看山頂的時候，仰頭望去，帽子可以從背後脫落。我們古時的詩人說那山裏面有美好絕倫的神女，時而為暮雨，時而為朝雲，這雖然只是一種幻想，但人到那地方總覺得有一種神韻襲人，在我們的心眼間自然會生出這麼一種暗示。

啊啊，四川的山水真好，那兒西部更還有未經跋陟的荒山，更還有未經斧鉞的森林，我們回到那兒，我們回到兒去罷！在那兒的荒山古木之中自己去建築一椽小屋，種些芋粟，養些鷄犬，

工作之暇我們唱我們自己做的詩歌，孩子們任他們同獐鹿跳舞。啊啊，我們在這個亞當與夏娃做壞了的世界當中，另外可以創造一個理想的世界。……

我說話的時候，我的女人凝視着我，聽得有幾分入神。

——啊，我記起來了。她突然向我說道：我昨晚上做了一個很奇怪的夢。

——甚麼夢呢？

她說：我們前幾天不是想過要到東京去嗎？我昨晚上竟夢見到了東京。我們在東京郊外找到一所極好的房子，構造就和我們在博多灣上住過的抱洋閣一樣，是一種東西洋折衷式的。裏面也有花園，也有魚池，也有曲橋，也有假山。紫荊樹的花開滿一園，中間間雜了些常青的樹木。更好是那間廠豁的樓房，四面都有欄干，可以眺望四方的松林，所有與抱洋閣不同的地方，只是看不出海罷了。我們沒有想出在東京郊外竟能尋出

190

那樣的地方。房金又賤，每月只要十五塊錢。我們便立刻把行李搬了進去。晚上因為沒有電燈，你在家裏守小孩們，我便出去買蠟燭。一出門去，只聽樓上有甚麼東西在晚風中吹弄作響，我回頭仰望時。那樓上的欄干總是白骨做成，被風一吹，一根根都脫出臼來，在空中打擊。黑洞洞的樓頭只見幾多屍骨一上一下地浮動。我駭得甚麼似的急忙退轉來，想叫你和小孩們快走。後面便跟了幾多屍骨進來蹲在廳上。屍骨們的顎骨一張一合起來，指着一架特別瘦長的屍骨對我們說，一種怪難形容的喉音。他們指着那位特別瘦長的說：這位便是這房子的主人，他是受了鬼祟，我們也都是受了鬼祟。他們叫我們不要搬，說那位主人不久便要走了。只見那瘦長的屍骨把頸子一偏，全身的骨節都在震慄作聲，一扭一拐地移出了門去。其餘的屍骨也同樣地移出了門去。兩個大的小孩子駭得哭也不敢哭出來。我催你趕緊搬，你總始終不肯。我看你的身子也一剎一剎地變

成了屍骸，也吐出一種怪聲，說要上樓去看甚。你也一扭一拐地移上樓去了。我們母子只瞇得在樓下暗哭，後來便不知道怎麼樣了。

——啊，真好一場夢！真好一場意味深長的夢！像這上海市上堊白磚紅的華屋，不都是白骨做成的麼？我們住在這兒的人不都是受了鬼祟的麼？不僅我一人要變成屍骸，便是你和我們的孩子，不都是瘦削得如像屍骸一樣了麼？啊，我們一家五口，睡在兩張棕繃床上，我們這五個月來，每晚做的怪夢，假使一一筆記下來，在分量上說，怕可以抵得上一部「胡適文存」了呢！

——「胡適文存」？

——是我們中國的一個新人物的文集，有一寸來往厚的四厚冊。

——內容是甚麼？

——我還沒有讀過。

——我昨晚上也夢見宇多姑娘。

——啊，你夢見了她嗎？不知道她現刻怎麼

192

樣了呢？

　我們這麼應答一兩句，我們的舞臺便改換到日本去了。

　民國六年的時候，我們同住在日本的岡山市內一個偏僻的小巷裏。巷底有一家姓二木的鄰居，是一位在中學校教漢文的先生。日本人對於我們中國人尚能存幾分敬意的只有兩種人。一種是六十歲以上的老人，一種便是專門研究漢文的學者了。這位二木先生人很古僻，他最崇拜的是孔子。周年四季除白天上學而外，餘都住居在樓上腳不踐地。

　因為是漢學家的家庭，又因為我的女人是他們同國人的原故，所以他家裏人對於我們特別地另眼看待。他家裏有三女一男。長女居孀，次女便名宇多，那時只好十六歲，還有個十三歲的幼女。男的一位已經在東京的帝國大學讀書了。

　宇多姑娘她的面龐是圓圓的，顏色微帶幾分

蒼白，她們取笑她便說是「盤子」。她的小妹子
尤為俏皮，一想要苦她，便把那「月兒出了」的歌
來高唱，歌裏的意思是說：

月兒出了，月兒出了，

出了，出了，月兒呀。

圓的，圓的，圓圓的，

盤子一樣的月兒呀！

這首歌凡是在日本長大的兒童都是會唱的，他們
蒙學的讀本上也有。

只消把這首歌唱一句或一字，或者把手指來
比成一個圓形，宇多姑娘的臉便要漲得緋紅跑去
干涉。她愈干涉，唱的人愈要唱，唱到後來，她
的兩隻圓大的黑眼汪汪地含着兩眶眼淚。

因為太親密了的緣故，他們家裏人 ——宇多
姑娘的母親和嬸姐——總愛探問我們的關係。那
時我的女人總從東京來和我同居，被她們盤詰不
過了，只諉說是兄妹，說是八歲的時候，自己的
父母死在上海，只剩了她一人，是我的父親把她

194

收為義女撫養大了的。宇多姑娘的母親把這番話信以為真了，便時常對人說：要把我的女人做媳婦，把宇多許給我。

我的女人在崗山從正月住到三月便往東京去讀書去了。宇多姑娘和她的母親便常常來替我煮飯或掃地。

宇多姑娘來時，大概總帶她小妹子一道來。一人獨來的時候也有，但手裏總要拿點東西，立不一刻她便就走了。她那時候在高等女學也快要畢業了。有時她家裏有客，晚下不能用功的時候，她每得她母親的許可，拿書到我家裏來。我們對坐在一個小桌上，我看我的，她看她的。我若一要看她讀的是甚麼的時候，她總十分害羞，立刻用雙手來把書掩了。我們在桌下相接觸的膝頭有一種溫愛的感覺交流着。結局兩人都用不了甚麼功，她的小妹妹又走來了。

只有一次禮拜，她一人悄悄地走到了我家裏來，剛立定腳，她又急忙躡手躡足地跑到我小小

195

的廚房裏去了。我以爲她在和她的小妹子捉迷藏，停了一會他又躡手躡足地走了出來。她說：剛纔好像姐姐囘來了的一樣，姐姐總愛說閑話，我囘去了。她又輕悄悄地走出去，出門時向我笑了一下走了。

五月裏女人由東京囘來了，在那年年底我們得了我們的大兒。自此以後二木家對於我們的感情便完全變了。簡直把我們當成罪人一樣，時加白眼。沒有變的只有宇多姑娘一人。只有她對於我們還時常不改她笑容可掬的態度。

我們和她們共總只相處了一年半的光景，到明年六月我便由高等學校畢業了。畢業後暑期中我們打算在日本東北海岸上去洗澡，在一月之前，我的女人帶着我們的大兒先去了。

那好像是六月初間的晚上，我一人在家裏準備試驗的時候。

——K君，K君，宇多姑娘低聲地在窗外叫，你快出來看………

196

　　她的聲音太低了，最後一句我竟沒有聽得明白。我忙掩卷出去時，她在窗外立着向我招手，我跟了她去，並立在她家門前空地上，她向空中指示。

　　我抬頭看時，纔知道是月仙。東邊天上只剩一鈎血月，彌天黑雲怒湧，分外顯出一層險惡的光景。

　　我們默立了不一會，她嬸姐惡很很地叫起來了：

　　宇多呀！進來！

　　她向我目禮了一下走進門去了。

　　我的女人說：六年來不通音問了，不知道她們還在岡山沒有？這是我們說起她們時，總要引起的一個疑問。我們在囘上海之前，原想去探訪她們一次，但因為福岡和岡山相隔太遠了，終竟沒有去成。

　　—— 她現在已經二十二歲了，怕已經出了閣

罷。

——我昨晚上夢見她的時候，她還是從前那個樣子，是我們三人在岡山的旭川上划船，也是這樣的月夜。好像是我們要回上海來了，我們去向她辭行。她對我說：她要永遠營獨身生活，想隨着我們到上海。

——到上海？到上海來成枯骨麼？啊啊，可憐無定河邊骨，猶是春閨夢裏人了。

我們還坐了好一會，覺得四面的噪雜已鎮靜了好幾分，草坪上坐着的人們大都散了。

江上吹來的風，添了幾分濕意。

眼前的月輪，不知道幾時已團團地昇得很高，變着個蒼白的面孔了。

我們起來，攜着小孩子繞到公園裏去走了一轉，園內看月的日本人很不少，印度人也有。

我的女人掛心着第三的一個孩子，催我們回去。我們走出園門的時候，大兒對我說道：爹爹

198

，你天天晚上都引我們這兒來罷！二兒也學著說
。他們這一句簡單的要求，使我聽了幾乎流出了
眼淚。　　　　　　　　　古二年八月廿八日夜

創造社叢書

（第六種）

星空

版權所有

中華民國十二年十月初版

本書（實售大洋四角　外埠寄費四分）

著作者　郭沫若

發行者　趙南公

印刷者　泰東圖書局

總發行所泰東圖書局

上海四馬路一二四─五號

特約代售處　各省大書局